AU BEAU MILIEU, LA FIN

D1133958

DU MÊME AUTEUR

POÉSIE

Je viens comme une mante religieuse (poème-affiche), Éditions d'Orphée, 1975.

Cyprine, Éditions de l'Aurore, 1976.

Retailles, Étincelle, 1977; Typo, 1991.

Paris Polaroïd et autres voyages, L'Hexagone, 1990.

Grandeur nature, Écrits des Forges, 1993.

À cœur de jour, Écrits des Forges, 1996.

Tamano Natural (édition bilingue), Écrits des Forges, 2000; Le Puente-UNAM, 2000.

Un joint universel, Écrits des Forges, 2001; Éditions Phi, 2001.

Actes de vie, Trait d'Union, 2002; Éditions Fédérop, 2002.

THÉÂTRE

Les fées ont soif, Éditions Intermède, 1978 et 1979; Typo, 1994 et 2008.

Gémeaux croisées, Beba, 1988.

Les divines, Les Herbes rouges, 1996.

Jézabel, Les Herbes rouges, 2004.

RÉCITS

Lettres d'Italie (récits épistolaires), L'Hexagone, 1987 et 1991.

Boule de neige (série de récits en prose pour la radio), Radio-Canada, 2004-2006.

Là ou là (série de récits en prose pour la radio), Radio-Canada, 2005.

Une voyelle (récit en prose), Leméac, 2007.

DENISE BOUCHER

Au beau milieu, la fin

roman

LEMÉAC

Ouvrage édité sous la direction
de Jean Barbe

La citation de Marcelle Roy reproduite en exergue provient du recueil *Pattes d'oie*, paru aux Éditions du Noroît en 2003.

Le Conseil des arts et des lettres du Québec (CALQ) a offert une bourse à l'auteure.

Leméac Éditeur reconnaît l'aide financière du gouvernement du Canada par l'entremise du Fonds du livre du Canada pour ses activités d'édition et remercie le Conseil des arts du Canada, la Société de développement des entreprises culturelles du Québec (SODEC) et le Programme de crédit d'impôt pour l'édition de livres du Québec (Gestion SODEC) du soutien accordé à son programme de publication.

Tous droits réservés. Toute reproduction de cette œuvre, en totalité ou en partie, par quelque moyen que ce soit, est interdite sans l'autorisation écrite de l'éditeur.

ISBN 978-2-7609-3337-8

© Copyright Ottawa 2011 par Leméac Éditeur
4609, rue d'Iberville, 1er étage, Montréal (Québec) H2H 2L9
Dépôt légal – Bibliothèque et Archives nationales du Québec, 2011

Imprimé au Canada

C'est une vieille
une vieille
à temps et contretemps

c'est une vieille
pas moi

Marcelle Roy

À Thérèse Patry, à Begona Zabala,
à Dorothée Deschamps et à Christiane Bolduc.

J'ai déjà beaucoup dit, et je dirai encore beaucoup, sur les autres sujets; ce livre que je t'envoie traite de la vieillesse. J'ai attribué l'ensemble du propos non à Tithonus, comme l'avait fait Aristote de Cios (car il n'y aurait rien de sérieux dans une fable), mais à Marcus Caton l'Ancien. Je place auprès de lui Lélius et Scipion, admiratifs devant la facilité avec laquelle il supporte la vieillesse.

Cicéron

Cicéron, mais pas moi, car pour les pauvres, la vieillesse est insupportable.

Un

Chère Brigitte,

Dans le clair-obscur de l'avion, à la marge du monde, nous filons à tombeau ouvert vers toi et la maison quittée il y a un an.

Pour mes quatre-vingts ans, Chantal m'avait offert un titre de transport et, à l'aéroport de départ, j'avais eu la surprise de recevoir un billet de première classe. Monsieur Zut voyageait à l'arrière.

Quand tu verras atterrir tes deux oiseaux moqueurs, ils auront vécu des décalages imprévus. Moi, je viendrai du luxe où mon voisin se mit à lire très vite. La solitude a ceci d'étonnant qu'elle peuple le territoire des riches, même au ciel. Ils ont l'habitude du frein, de la bride, de la borne et de la limite, ils craignent le mot de trop pouvant leur faire perdre le rien.

Peut-être avaient-ils déjà trop parlé avant de s'embarquer et, lassés et allongés, en peu de temps, ils s'étaient pressés de s'endormir avec un loup bleu sur les yeux. Mon voisin se mit à cogner des clous avant de mettre le sien et son livre glissa. Je le saisis. C'était une anthologie de poètes, penseurs et philosophes chinois traduits en français.

En l'ouvrant au hasard, j'ai trouvé un personnage de femme avec des ongles d'oiseau. Elle s'appelait Ma Gu et, selon la légende, elle était la protectrice des

11

femmes âgées. Je me suis trouvé ainsi une patronne, maman Ma Gu, et un autre nouveau projet, apprendre qui était cette taoïste et ce qu'elle deviendrait dans nos propres histoires.

J'ai continué à feuilleter en m'arrêtant sur le culte de la vie oisive célébré par les lettrés pauvres qui en tiraient une consolation spirituelle. Assise dans le confort jubilatoire, je comprenais très bien le plaisir de ne rien attendre d'autre que le bruit de l'eau coulant entre des rives vertes si c'était un choix.

Le voisin a commencé à bouger et j'ai refermé le livre sur une phrase disant que l'importance de l'individu était sans doute un des dogmes fondamentaux du christianisme. J'ai doucement reposé le livre sur sa tablette ouverte. L'auteur de ce constat n'était certainement pas né au temps des Ming.

La lumière de mon siège éteinte, dans l'obscurité de tous, les yeux fermés, j'ai tenté de compter la durée du temps de l'individualisme venu bien avant notre époque et notre Amérique. Je me suis assoupie dans le lieu où était née notre religion et d'où, justement, je revenais. *Arrivederci Roma*.

Au début de la lente descente de l'appareil, je me suis réveillée. L'homme d'à côté avait sorti un écritoire électronique d'une pochette du lazyboy. J'ai fait de même afin de t'envoyer, avant d'atterrir, ces premières lignes du retour.

Zut aura ses histoires de la classe économique où il aura certainement passé son temps à discuter avec son voisin, sa voisine des aventures romaines et italiennes et de sa préférence pour l'art étrusque, les eaux chaudes des piscines de Tivoli, les plaisirs des trains à haute vitesse et les ravissements du métro pouvant nous mener aussi directement à la Méditerranée que le Qline de New York à l'Atlantique. Le bonheur donné par les villes plantées au bord des mers est une faveur pour le corps, l'esprit et le goût. D'apparence, nous y sommes plus ouverts.

Quand l'avion a amorcé sa descente, l'hôtesse a distribué un exemplaire du journal local. À la une, il était question d'un pont dangereux sur notre île et des conséquences possibles. Les discussions en haut lieu concernaient le choix à faire entre la sauvegarde d'emplois et les pertes de vies.

De pareils propos me ramènent toujours à ce gag que nous racontions, petites. Un voleur met en joue un monsieur en lui demandant de choisir entre la bourse et la vie, et le monsieur répond, prenez ma vie, je garde ma bourse pour mes vieux jours. Cet humour serait-il devenu invisible, inaudible jusqu'à laisser toute la place à la cupidité ?

Quand nous nous retrouverons, avec tous nos rêves et notre savoir, nous nagerons dans la joie. Chère Brigitte, prépare-toi à recevoir ton Adèle.

L'avion a touché le sol.

Deux

En entrant dans la maison, il y eut un bruit de débâcle sourd et arraché. Il venait de moi. C'était un sanglot. Et toi, ma Ma Gu, ma Brigitte, tu étais partie en voyage la veille de mon arrivée et je n'ai pu te serrer dans mes bras ni avoir aujourd'hui tes oreilles. Émilie a laissé un mot dans ma boîte à malle. Bon retour marraine. Ne cherche pas maman. Elle a quitté avec de la compagnie pour une destination tenue secrète. Tu la connais. Ne t'inquiète pas. Bacci. Becs. Bisous. Je repasserai.

J'étais partie joyeuse. Je revenais contente. En ouvrant la porte, j'ai vu le septième enfer, un désastre désarticulant répandu dans des boîtes mouillées. Les locataires, la jeune famille de Lyon, avaient fui à la cloche de bois. La voisine d'en haut est apparue et nous a informés que nos biens avaient été rapportés la veille.

Tout ce qui gisait sur le plancher avait passé un an dans un garage en terre battue. Toute la bibliothèque contaminée par les neiges fondantes et la pluie pesait si lourd d'humidité et de champignons que je ne pouvais pas soulever les cartons déposés en vrac dans toutes les pièces de la maison. Et les tableaux et les cadres et les épices et les coussins et les dossiers de la filière avaient un air capable de déchirer toute la confiance donnée.

Soudainement, je n'avais plus de bibliothèque, plus les plaisirs du voyage et plus d'ego. Ma vie s'était fanée d'un coup. Tu penserais encore que j'ai le tragique facile, mais si tu voyais, tu comprendrais.

Ils avaient l'air si doux et si civilisés avec leurs deux petits enfants. Comment ai-je pu tant me tromper. Ma voisine d'en haut, une juge, dit que nous n'avions pas à nous sentir coupables. Les premiers jours, elle les avait bien examinés et elle leur aurait loué elle aussi. C'était bon d'entendre ces mots-là.

Ensuite, elle m'a raconté l'horreur de ce monde logeant chez nous. Au bout d'une semaine, ils ont tenté de prendre le contrôle de la maison et de la rue. Dès sept heures du matin, à la fenêtre ouverte, l'homme chantait à pleins poumons pour saluer le soleil. Coquerico stationnait n'importe comment. Il faisait la tournée des maisons du quartier pour tenter de louer un des garages. Quand leurs propriétaires apprenaient son intention d'y transborder mes affaires, ils refusaient. Tous ces espaces sont en terre battue. Il sonna aussi chez les hassidim, qui ne lui ouvrirent jamais la porte. Alors, il s'est rabattu sur une ruelle du bas de la ville, ai-je fini par apprendre.

Il a même poussé l'audace jusqu'à peinturer les murs de la bibliothèque vidée d'un petit jaune sorbet dont l'acidité congèlerait chacune de tes humeurs.

J'étais partie avec Zut en clamant partout que ce serait notre dernière folie de jeunesse. Rome nous avait fait la fête, nous y avions vécu comme des innocents, et contrairement à ce qui est écrit dans tes évangiles, le retour nous a vidé les mains et a rempli la maison d'odeurs aussi répulsives que les fantômes de ces malfaiteurs. Nous y sommes dans une fosse fangeuse et suffocante.

Les bibliothèques de plein bois ont passé un an sur le balcon avant. L'été est chaud. Nous attendons qu'elles s'y dégorgent tout à fait des intempéries.

Zut ne dit pas un mot pendant que je pleure en éventant les feuilles des dossiers mouillés avec un séchoir à cheveux.

La situation est pitoyable et les amis et copains m'entendant au téléphone osent peu se présenter à la porte. Je les comprends.

Le sage désenchantement n'est pas à la portée de ma pauvre personne. Mais Zut a dû être recouvert de téflon à un moment donné de sa vie, il prend une grande respiration et dit c'est pire à Bagdad.

Sinon, je sors vingt fois par jour. Dans la rue, je m'abstiens de pleurer et mon désarroi cherche de l'oxygène. La peine s'usant, la colère prendra certainement la place. Je compte sur elle puisque tu n'es pas là.

Adèle l'éplorée

Trois

Quand je me suis présentée au poste de police de la rue Van Horne, je tremblais un peu moins. La jeune agente réceptionniste m'a regardée avec un tel air de mépris que j'ai eu honte d'être une victime. J'ai été presque contente de n'être pas venue pour un viol.

Ont-ils tout saccagé avec un bat de baseball? Madame, s'ils n'ont pas fait ça avec un bat de baseball, il n'y a pas d'acte criminel. Nous ne pouvons pas recevoir de plainte. Le vandalisme se fait avec un bat de baseball. Pas autrement.

Il était impossible de percer son mur pour obtenir le constat des dommages nécessaire à l'inspecteur de la compagnie d'assurances.

Le lendemain midi, j'ai mis une robe plus joyeuse. Un dictionnaire *Robert* sous le bras, celui des juges, je me suis représentée au poste de police. Un réceptionniste m'a reçue avec l'indifférence que cache souvent la paresse. Il n'a pas voulu vérifier les mots avec moi. Je parlais de méfait. De crime. De délit. S'il le voulait, nous pourrions choisir le mot convenable. J'ai multiplié mes efforts pour tenter de le convaincre, mais lui n'en a fait aucun envers moi.

Peut-être aurais-je dû penser à prendre un gun ou me mettre à parler en joual. J'aurais été plus claire. Je possède au max cette langue juteuse mais je me méfie de son utilisation. Elle m'aurait lancée trop loin trop vite dans la colère et, déchaînée, le flic m'aurait enchaînée.

Un jeune agent écoutait notre échange. Il s'est avancé et a annoncé qu'il viendrait faire le constat. Il serait à la maison dans une demi-heure.

Juillet donnait son soleil et je me suis mise à murmurer espoir. Espoir. Espoir. Tu le sais, j'ai toujours été téméraire. L'agent est venu. Il a pris des notes d'après ma longue liste des manques et des débris, un tableau de Vaillancourt, la lampe Berger offerte par Chantal. On ne pouvait pas tout nommer, mais par le vide, on voyait bien. Il manquait quelque chose. Pourtant, il était difficile de dire quoi comme ça tout de suite. Pourtant, j'ai su qu'ils avaient rempli un container avant de partir.

Papier et crayon en main, nous avons fait le tour de toutes les pièces. Zut prenait des photos. L'agent soulevait le bord d'une caisse, elle s'effondrait. Les livres avaient déteint en rouge sur le carton. Pourquoi le rouge s'était-il plus imprégné que les autres couleurs? J'ai une facilité pour la digression. L'agent a fait un signe. Nous avons continué. Dans une autre boîte, des objets lourds avaient réduit la belle grande croûte de terre offerte par l'amie potière, lors de notre première rencontre au début des années soixante-dix. De la même couleur que les pêches mûres du mois d'août, elle en contenait l'abondance.

Tous les tableaux semblaient prêts à se mettre à couler. L'agent prenait un réel intérêt à noter tous les détails du désastre. Son attitude me calmait. Il a même essayé de me faire comprendre que les assurances paieraient pour les dégâts et les vols. Il donnait en exemple sa guitare volée dans sa voiture. Elle lui avait été remboursée avec les dommages faits au véhicule. Il était musicien et avait entendu ma détresse. Mais Zut, lui, n'y croyait pas. Les autos sont mieux protégées que les maisons.

Pourtant, nous avions un constat en bonne et due forme pour l'inspecteur de la compagnie d'assurances. Il vint à son tour et a semblé avoir de la compassion et promit avant de quitter les lieux de tout mettre en œuvre pour que justice soit faite. Zut ne le crut pas. L'usage qu'il avait fait du mot justice était trop étonnant. Selon Zut, il ne relevait pas de sa fonction. Comment j'avais fait pour accrocher ces saris et leur donner ce mouvement, m'avait demandé l'inspecteur des assurances. Zut avait raison. Cet homme était toujours à côté de ce que nous attendions de lui.

À la fin, les assurances refusèrent de payer, la police ne considéra pas le gâchis comme un acte criminel et je dus trouver une avocate pour étayer une plainte au civil.

Adèle la téméraire

Quatre

L'avocat de Paris, associé au bureau de l'avocate d'ici, a envoyé une mise en demeure à mes locataires rentrés chez leurs parents. Ils n'ont pas répondu.

Nous pouvions bien demander à la cour de juger cette affaire, toutes les chances penchaient de notre côté, mais il y avait un hic. Pour faire exécuter le jugement en France, il aurait fallu dépenser autant sinon plus que le fric demandé. J'avais le temps de mourir bien avant le règlement de cette affaire et Zut avait raison sur toute la ligne.

J'étais aussi trop vieille pour espérer voir passer leurs cadavres sur le fleuve.

Alors, j'ai reculé.

J'ai laissé tomber en maudissant mon innocence, ma vieillesse, la sagesse recommandée par tous et j'ai goûté à l'amertume. Même la voisine d'en bas n'avait pas veillé sur son logement et sur mes affaires et elle se révéla avoir été une propriétaire indifférente assez moche merci. Je l'avais surestimée.

L'amertume est un poison terrible. Il révèle notre impuissance et nous peinture dans un coin noir. La lumière s'en va et emporte avec elle toute la douceur et toute la joie que nous avions à vivre.

Une toile d'araignée s'est tissée densément autour de ma bonne vieille énergie et a commencé à m'étrangler.

Les crisses ont décrissé la maison et ils ont câlissé le camp. Je voudrais m'en crisser, mais je ne suis plus capable. Quand j'ai vu mon vélo tout croche, j'ai eu les jambes sciées. Zut a dit qu'un vélo ça se remplace. Les autres, peut-être, mais pas le mien. C'était un cheval. Il m'a menée partout depuis des années. Il m'a fait rouler le long des deux rives du fleuve. Zut m'a dit que, de toute façon, je ne le prenais plus depuis deux ans à cause de mes genoux. Zut essaie de casser ma peine, de la traverser, d'y faire du chemin, de la route pour autre chose. Pour briser mon obsession.

En attendant que tout sèche, j'empile des notes prises en écoutant la radio, en lisant le journal, en regardant la télé. J'aimerais bien savoir où tu te trouves pour aller pleurer directement dans tes ouïes. Même ta fille ne le sait pas. Encore une de tes histoires mystérieuses. Le courrier électronique, c'est bien pour se répandre, mais nous ne savons pas dans quel paysage sont les personnes qui nous lisent. Il faut faire attention pour ne pas en faire des personnages.

Mais l'avantage est de taille. À notre âge, il est courant de chercher nos mots. Le clavier et l'écran font travailler les articulations de nos mains et celles de la caboche. L'écriture est moins stressante que la parole. Si tu me lis, tu ne m'entends pas bégayer, enligner des e e, et tu ne me vois pas m'affaisser à répéter je ne m'en souviens plus. Je ne trouve pas le mot.

Dans le livre chinois de l'avion, beaucoup de chapitres portaient des titres comme *Le chant des regrets éternels* ou *Les grandes lamentations de la séparation,* par exemple. Ils me confortent.

Ces lettres à toi me donnent aussi des permissions et je les prends. La musique est aussi faite de *staccati* et d'*impetuosi* et de *lamenti.* L'harmonie n'est ni monotone ni monocorde.

Quand s'opérera le grand retour de toi et de la joie, nous aurons changé nos points de vue sur le monde et nous nous serons faites plus voyantes, plus cyniques et plus bienveillantes probablement, et avec un goût moins mielleux pour le plaisir mais tout aussi accueillant, nous serons plus subtiles et plus aiguisées. *Ma non troppo.*

Je le vois parce que le tri des livres à jeter et à garder est devenu un peu plus méchant et moins sentimental. Du respect du livre pour le livre, je me dégage. Attention, mutation en cours.

Adèle avec plein de becs
et de vains chagrins

Cinq

Pour ne pas devenir peine perdue, même si tu ne me réponds pas, j'ai décidé de continuer à t'écrire. J'ai le chaos, mais je ne veux pas sombrer. Zut a rentré les bibliothèques dans la maison et les a réinstallées. En misant sur l'amour porté aux livres pour me remettre en vie. Je comprends qu'ils ont maintenant une grise mine d'or.

À tous les instants, il invente toutes sortes de belles phrases pour tenter de me consoler. Me redonner confiance. Je rébarbative. Je ne vois plus que le mal. Et surtout, surtout l'idée de ne plus jamais pouvoir repartir joyeusement vers d'autres voyages ou d'autres terres m'a déboussolée. Je n'ai jamais pu partir sans sous-louer l'appartement. Nous n'en avions pas les moyens. Cette mauvaise expérience a entonné un air de point final à nos folies.

Mes courants vitaux ont sauté.

C'était facile, puisque la vieillesse en a profité pour sauter sur moi. À cause de l'asthme, la fièvre des foins s'est emparée des bronches et la cortisone qui devrait soigner amincit la peau. Je ne peux plus rôder autour des cartons restants. Le moindre contact m'entame la chair. Je ne tiens plus ensemble que par mes rides et je vois bien, sur les photos prises pour renouveler la carte d'identité de l'assurance maladie, qu'il y a là-dessus une poupée ratatinée. Fanée mais mince. Enfin, passons. Je continue de découvrir les effets secondaires et les conséquences.

Je ne sais pas pourquoi, Brigitte, je pense à ma grand-mère. Elle répétait que, dans la tribu, il y avait un vieux ou une vieille sage, l'homme-médecine qui détenait l'Autorité et les guerriers à qui appartenait le Pouvoir.

Nous avons tout simplement son âge de parole, et je n'ai pas l'argent nécessaire pour faire la guerre donnant le pouvoir. Je ne peux pas le croire. Quant à l'autorité, j'en ai encore moins que de la sagesse. Je croyais la voir pousser avec le temps sur mon arbre et me tomber mûre dans la main à quatre-vingts.

Qu'as-tu trouvé en chemin?

Reste le plaisir de t'inventer assise dans quelque zócalo en train de relire tes classiques ou encore au bord d'une rivière avec un vieux pêcheur qui taquine, j'aime bien ce mot pour aller avec la truite. Tu vois, je te cherche à travers tes anecdotes glissées dans mes oreilles au cours des années, tu es toujours capable de me distraire avec ce coin de lumière qui te chante dans les yeux, surtout depuis que la médecine t'a enlevé tes cataractes.

À Rome, en relisant les *Mémoires d'Hadrien* pour me mettre dans l'histoire, je n'ai plus retrouvé ce que je pensais y avoir lu du temps de ma jeunesse. Dès les premières pages, j'ai eu un sentiment de fadeur. J'étais surprise. À la page quatorze, j'ai été déconcertée par la mauvaise foi de Marguerite Yourcenar. J'ai basculé sur cette phrase : Peut-être n'ai-je été si économe de sang humain que parce que j'ai tant versé celui des bêtes fauves.

Lui, l'empereur, économe du sang humain, lui qui a fait raser Jérusalem, ses habitants et son temple. Lui qui a ensuite renommé ce pays Palestine. Et tout ce qu'il fit ailleurs pour son Empire. Marguerite, le miroir choisi pour vos ambitions n'était point le bon.

Tu vois, à Rome, j'ai trouvé ce que je ne cherchais pas, la compréhension lointaine du monde juif et la vieille histoire de sa résistance. Et peut-être de l'individualisme venu des Indes jusqu'en Égypte, de Moïse jusqu'à nous. Dans Hadrien, Yourcenar s'était projetée dans la vue d'un gentil guerrier collectionneur d'art grec et dont le goût aurait effacé tous les instincts sanguinaires comme si l'art adoucissait les mœurs. Il n'informe que sur l'esprit du monde.

J'ai aimé Rome et son ciel. J'y ai passé un temps farouche à dénicher le dessous des métaphores trompeuses et à ne rien faire dans des piazzas, pendant des heures, juste à tenir la beauté entre mes yeux.

Adèle la liseuse

Six

Quand je dis que je ne pourrai plus jamais partir en voyage, certains suggèrent qu'il était temps. D'autres sont surpris. Comme je le serais pour toi et je dirais avec eux que, même malade, même sans argent, elle partait. Son arthrose et son arthrite ne datent pas d'aujourd'hui. Pas plus que sa bronchite chronique. Ni sa frayeur devant l'immobilité.

Je ne me suis jamais attendue à une vieillesse paisible. Tu t'en doutais bien. La misère a toujours eu toutes les chances de revenir même si, tous les matins, je prenais un petit verre de colère pour lui faire face et tenter de la contrer.

Je crois que, depuis mon retour, je profite de mon malheur pour mener des attaques préventives contre d'éventuelles théories sur mon état. Selon moi, Zut pense la même chose. En attendant, il fait le chat. Il est parti prendre les deux chaises confiées à un ébéniste. Elles tenaient depuis au moins cent ans et ils ont réussi à les disloquer. Il a troqué les réparations contre deux anciennes berceuses trouvées dans les vidanges.

Lui parti, j'ai jeté un coup d'œil à la bibliothèque. Tout gisait encore sur le plancher. Mais en piles cette fois. Un certain ordre s'organisait.

Foi d'Adèle, nous pourrions dire foie de fiel d'Adèle, il est bien certain que nous ne partirons plus en voyage. Nous étions en toute illégalité en Italie.

Pour vivre en Europe plus de trois mois, il faut avoir une preuve d'assurances santé et une carte de crédit à déposer au commissariat. Les assurances coûteraient au moins cent bagues de fiançailles cossues, et qui donnerait une empreinte de sa carte de crédit à un je ne me rappelle pas le nom. Disons à la *caserma corpo dei carabinieri*. Cette année, nous avions réussi à nous faire amis avec une pharmacienne. Au moment des vaccins contre la grippe, elle nous avait envoyé une infirmière à domicile. Le charme de Zut avait encore opéré.

Quand ma cousine est allée, seule, en Floride, voyage payé par son fils qui la fait beaucoup voyager parce que sa femme a toujours peur de voir arriver sa belle-mère qui n'a pourtant rien d'une mémé carnivore, elle a été hospitalisée pour une appendicite. Ils l'ont opérée. La facture est arrivée avant elle. Elle était de cent vingt mille dollars pour cinq jours d'hôpital et une chirurgie mineure. Penses-tu qu'elle avait des assurances? Elle a convalescé ici quelques jours et ensuite elle s'est ramassée chez une autre copine. Enfin elle a regagné son appartement, où le téléphone n'a pas cessé de sonner. Une agence de réclamation l'appelle six fois par jour et dès cinq heures le matin. Elle est en train de, je ne sais pas comment dire ça. Dis-moi un mot plus gros que perturbation. Tu vois, elle est vieille mais pas sourde. Elle refuse de débrancher son téléphone et de s'acheter un portable. Si au moins elle avait un répondeur. Elle va tolérer et elle ne réglera pas. Tu vois le prix à payer.

Elle a dû acquérir une force de surdité incroyable pour arriver à ne pas les entendre ni en tenir compte ni devenir leur zombie. Est-ce un effet de pratique de contemplation intérieure lors d'un voyage au Tibet ou aux Indes dont elle m'a rapporté deux tiroirs de. De. Dedededede?

Je sais, on ne dit pas aux Indes comme au temps de Christophe Colomb mais en Inde. Mais aux me revient automatiquement. Ce que je n'ai pas appris quand j'étais petite, je l'oublie plus vite. Et je trouve maintenant celui que je cherchais, sari. C'est un beau mot. Il rit. Ça rit. Il est maintenant collé sur mon petit hippocampe. Je n'aurais pas dû m'impatienter sur le clavier et au moins tout effacer.

Adèle

Sept

Pourquoi est-ce la mémoire d'antan qui reste ? Je
n'en ai pas plus besoin que celle d'il y a cinq minutes.
Je ne sais pas s'ils essaient de nous faire peur avec
l'Ailzellemeur. Alzheimer, oui. Une fois pour toutes, apprends-le,
me dis-je. A l z h e i m e r. Nous avons l'air moins
innocent quand nous savons au moins les mots. Surtout
s'ils sont difficiles.

L'État, la population, les enfants sont en train
de paniquer avec cette maladie, il faut ou se taire, ou
savoir dire avant qu'ils ne nous trouvent des poux. Il
faut apprendre à ne jamais avoir l'air perdu quand nous
sommes dehors. À la moindre faille, ils nous enferment
si nous avons plus de soixante-dix ans. Nous devons
toujours faire semblant de savoir où nous allons pour
rassurer les gens.

Moi, je vais alzheimerer en anglais. D'ailleurs,
maintenant, les mots me viennent plus vite en anglais.

Pourquoi les gens ont-ils commencé à demander
une loi permettant l'euthanasie ? Oh ! Madame Adèle,
vous voyez venir trop de bêtises, vous mêlez tout. Vous
allez un peu vite en affaire. Vous êtes parano, m'a dit
ta fille-ma-filleule. Quand je l'inquiète, elle me parle
au vous.

Mais, ils parlent des coûts amplifiés par le vieillis-
sement de la population et des sommes inimaginables
que nous allons coûter. Alors, je fais comme dans notre

jeu ancien, je décline des mots pour voir où ils nous mènent. Le dentiste. L'orthopédiste. La gynécologue. Le pneumologue. Le coiffeur. L'esthéticienne. La pharmacienne. La manucure. Le pédicure. La dermatologue. L'optométriste. L'opticien. Le chirurgien. Les huiles essentielles. Les fausses semelles. Les profs patentés pour nous enseigner l'autoguérison. Les fards. La poudre. L'hydratation. Le déodorant. Le vernis à ongles antistries. Les faux cils. Le rhumatologue. Le physiatre. Le postiche. L'effaceur de veines. Les pompes pour l'asthme. Les cannes. Les béquilles. Les marchettes. Les chaises roulantes. Les physiothérapeutes. Les ostéopathes. Les bas de soutien. Le prof de tai-chi. Le chou biologique. Les œufs sans jaune. Le riz non décortiqué venant de Chine et arrosé de tous les produits chimiques que tu peux imaginer. Les yaourts ++. Le poulet de grain. Tu vois, chère poule en liberté, toi qui as chassé les antidépresseurs, les somnifères, les hormones, les idées de grandeur, les infiltrations, la cortisone, la crème vaginale, que c'était un beau jeu. À la fin, nous pouvons prophétiser la création d'emplois pour faire rouler l'économie. Nous allons leur servir.

Tu vois bien. Nous notons tous les signes et les mots envoyés par la propagande. Mais qui expliquera la perte de mémoire du calcium ? Il ne sait plus entrer dans les os. Il se ramasse en dépôts sur les épaules, dans les articulations. Il a perdu le nord. La vitamine D en comprimés n'est pas plus sérieuse.

C'est à la pharmacie que l'effacement de certains mots me frappe. Les Étatsuniens commandent en Chine la fabrication des produits utilitaires pour la santé du corps. Nommés en anglais et traduits de là mot à mot, une part de notre culture et de nos appellations y passe et s'y perd. J'ai essayé d'y acheter un nouveau loup. Une employée m'a dit avec paternalisme que je n'étais pas dans une animalerie. Il a fallu beaucoup de simagrées pour qu'enfin elle m'amène aux masques pour les yeux. Eye's Mask. Je te propose d'inventer un nouveau jeu dont la règle sera de faire le deuil des métaphores. La plupart d'entre elles nous donnent un air suranné. Je m'en passe déjà beaucoup dans mon travail. Carmen est venue hier et a levé les bras jusqu'aux nuages en me chicanant. Adèle, tu essaies d'oublier de ranger ta maison. Je pourrais t'aider. Ce serait une bonne occasion pour oublier ma propre misère. Et pour occuper mes mains. Nous fumons trop autour de la table. J'ai tout mon temps pour être avec toi. Réveille-toi. Ton Zut commence à trouver que tu sautes des coches même s'il n'est pas le genre à imaginer que tu n'es pas parfaite.

Elle aurait aimé que son mari fasse de même. Au deuxième jour de sa retraite, il est parti avec la secrétaire de Carmen. Elle les entend dans sa tête se plaindre d'elle pour se justifier. Ils sont devenus des acouphènes.
La vieillesse va enrichir notre vocabulaire.
Avant de partir, elle a dit tu devrais te faire installer la clim. Il fait trop chaud chez vous. Je vais passer la fin de semaine chez ma sœur. Elle vient d'acheter une maison dans la Mauricie. Elle a besoin d'aide pour son jardin et son potager. Là-dedans, je suis très bonne. N'oublie pas, dis à Zut de commander les nouveaux climatiseurs.
Je venais de me trouver un nouveau boss. Je l'ai raccompagnée jusqu'au coin de la rue.

Adèle l'insoumise

Huit

En revenant, j'ai rencontré le voisin, Raymond. Je l'ai invité à venir boire une bière et à regarder l'une des installations de mes sous-locataires à laquelle je ne m'étais pas encore attaquée. Il est connaisseur en sectes. En regardant le tableau de Marc Boisvert, avec les deux poèmes entourés d'enluminures et la table de dessous où ils avaient transporté un trophée, Raymond a bien confirmé qu'ils s'en étaient fait une image sacrée et une installation spirituelle. Acte d'ignorance, je ne savais pas que le Félix était une représentation d'une pose de yoga, celle du salut au soleil. Nous avons défait leur autel.

Avant de louer, le sous-loc m'avait dit qu'ici nous étions spécialistes des soins donnés par les mains sur des points spécifiques du corps. Notre spécificité était de pouvoir entrer spirituellement en contact avec les malades, en les touchant. Nous avions le génie du contact. Nous avions une facilité pour l'échange des énergies. Savais-tu ça ? Avec moi, il n'a rien échangé, il m'a cannibalisée.

De fait, l'apprenti sorcier ne m'avait pas trompée. C'était ça le plus difficile à avaler. Il avait regardé les deux écrans de télé et insisté pour que je les fasse disparaître. Sa demande avait d'ailleurs le ton d'une exigence et j'en avais fait fi. Le micro-ondes l'avait mis dans le même état. Je n'avais ni grenier ni cave où les ranger et je lui avais suggéré de ne pas les utiliser, tout simplement. Ils étaient parties prenantes de ce que je louais, ils ne détenaient aucun pouvoir vaudou et ils ne contenaient aucun esprit malin.

Le prix de location demandé égalait le coût réel de l'appartement. Tout l'ameublement venait avec, sans frais supplémentaires. J'aurais dû comprendre qu'il n'en voulait que la moitié. Le reste deviendrait mon problème. Il a beaucoup insisté afin de me mettre d'accord avec son désir à lui. J'ai refusé. C'était à prendre ou à laisser.

Je vis même ses réticences lorsqu'il m'offrit le chèque de douze mois de loyer payés d'avance. Mais mon appréhension sauta par-dessus bord. Zut n'a jamais admis avoir douté lui aussi.

Si tu vois le chaos s'épaissir, dis-toi qu'il est rond et lourd. Je le porte tout le tour de la tête.

Profanée, je vis profanée. Zut dit à la ronde qu'il aime les tempêtes. Ces temps-ci, il ne s'ennuie pas.

Cet après-midi, la pluie clouait au sol tous les pollens, je suis sortie. Dans la vitrine du magasin d'alimentation pour les animaux, j'ai lu *adoption de chats*. Pour un instant, j'ai oublié les allergies et je suis entrée.

La bénévole aux chats, comme il y en a tant à Rome, en avait sept à donner. Je voulais un minou pour offrir à Zut. Nous n'en avons pas eu depuis des années à cause de nos voyages. Je zieutais une cage. Un petit minou, m'a dit la dame, jamais, madame. Vous êtes trop vieille. Vous allez mourir et faire un chat abandonné de plus. Jamais, madame. Il faut être responsable. Mon personnage lui a répondu ma mère est morte à cent deux ans, j'ai sa santé et je serai plus vite une vieille abandonnée que le minou.

C'était en plein le chat que j'aurais voulu. Tout tigré. Avec le poil ras et des yeux d'or. Je lui ai touché la patte. Il était dégriffé. Pauvre minou, tu vas vivre et sortir et courir dehors sans griffes. On t'a désarmé, minou. Ta sauveuse ne va pas bien. Nous allons la mettre dans une maison de requiem.

Je suis sortie dépouillée d'une autre extase. Tous les jours je pense à Job l'optimiste croyant sa fin incertaine. Moi, je fais l'inventaire erratique des obstacles humains.

Avec l'esprit d'escalier, j'ai continué dans ma tête, madame, il est interdit d'être vieille quand on est vieille. Ou encore, nous sommes vieilles juste si nous le voulons. Je me disais des phrases. Si tu as moins de fric que de rides, si tu n'aimes pas la soupe, ça va très mal se passer. Vous savez, le corps s'en va très vite. Les jeunes créateurs sont à des années-lumière de nous.

Adèle sans un chat

Neuf

De loin, j'ai aperçu Carmen sur le balcon. Sans parapluie. Les cheveux dans le visage. Je ne pouvais pas avancer très vite parce que les jambes me brûlaient. Les épaules aussi. Elle a fait lève ta tête, Adèle. Je l'ai regardée. Elle faisait pitié. On aurait dit qu'elle avait dormi dans une talle de rosiers tant son visage était ravagé. Ses bras étaient couverts de bleus. Nous sommes entrées dans la maison. Elle a refusé la suggestion de l'hôpital avec tant de vigueur que je me suis tue et l'ai écoutée.

Si tu savais. Après trois jours d'ouvrage, quand tout fut en place, la pluie s'est mise à tomber sur le fumier de crevettes et de moutons. Nous avions notre récompense et tout de suite.

La foudre est sortie de la tête et des bras de ma petite sœur. Elle a hurlé et sauté sur moi. Ton ego. Ton ego. Ton crisse d'ego, je vais le crisser dans la piscine. Je vais te noyer, Carmen.

Sa sœur l'a agrippée, mordue, triturée, grafignée et a essayé de la tirer vers la piscine. Son beau-frère a monté le son de la télé pour ne pas entendre une querelle de sœurs. Elle avait très certainement bu de la vodka en cachette. Elle ne sentait pas la boisson, selon Carmen.

Comme elle ne pouvait pas la hisser à bout de bras pour la jeter à l'eau, elle lui a arraché ses vêtements. T'es qu'une lâche, une lâche. Tu ne sais pas te défendre. À quoi te sert ton ego ? Tu ne peux pas travailler comme tout le monde, tu crois que chacun est à ton service et doit te féliciter parce que tu sais te faire aimer avec tes paroles et ta séduction de putain d'ego de crisse. De séductrice. Pour que notre mère t'aime plus que nous autres.

Tu sais, Brigitte, sa mère est morte depuis vingt ans.

Elle a continué. T'es une crisse de lâche et d'impuissante. Pis t'es tellement moche. Comment tu peux avoir un ego comme ça ? Regarde comment tu es. Une vraie loque. Pis tu dis pas un mot. Tu fais juste crier fais-moi pas mal. Qu'est-ce que tu as dans la tête ? Et tu as perdu ton mari. T'as même été désavouée par ta secrétaire. Et ta compagnie est ruinée.

Carmen a fini par ramasser son t-shirt. Trouvé ses sandales. Sa sœur lui a arraché son sac à main.

Carmen ne voulait pas se battre, elle ne voulait pas la battre. Elle ne pouvait pas la battre. Elle était trop enragée et Carmen trop surprise a eu peur. Trop pour avoir un réflexe. Elle s'est protégé les yeux, c'est tout. Enfin, elle s'est levée, a repoussé sa sœur, l'a fait tomber et est partie sur la route. Dans son jeans, elle a une pochette secrète pour une carte de crédit. Mais elle voulait son sac et a rebroussé chemin. Ses lunettes étaient dedans. La porte était verrouillée. Elle a enlevé son t-shirt pour y enrouler son poing et son bras puis elle a pété la vitre et foncé. Là, sa sœur n'a pas pu l'arrêter.

Enfin, bravo brave Carmen, ai-je pensé.

Sur la route, au bout de dix minutes, un couple joyeux et pompette s'est arrêté et l'a prise. Un barman et une femme qui s'était attardée à son bar, il la ramenait chez elle. Carmen leur a raconté son party de famille. Ils ont ri, lui ont offert une bière et l'ont laissée devant un motel où elle a passé la nuit. Elle est revenue en autobus les cheveux dans le visage.

Je lui ai suggéré de déposer une plainte à la police. Elle a réagi fortement. Tu n'y penses pas, Adèle. Veux-tu que je finisse dans les journaux ? Fais-moi un café. Hagarde, elle a continué.

Pendant que ma sœur tapait sur moi, je suis totalement tombée en miettes. J'avais sept ans, ma mère me battait pour je ne sais quoi. Je me rappelle seulement qu'après, je n'étais pas triste, pas désemparée. J'étais morte. Je me sentais morte. Et j'ai oublié. Ça m'est revenu tout d'un coup avec ma sœur. Pourtant, elle, la plus jeune, ma mère ne l'avait jamais violentée.

Ses jeans étaient pleins de sang. Je suis allée lui faire couler un bain. Elle ne voulait pas rentrer chez elle au cas où son mari y serait. J'ai mis son linge dans la laveuse.

Adèle les oreilles

Dix

Carmen est réapparue dans le kimono de Zut, les cheveux dans une serviette enturbannée. Elle était redevenue une déesse. Une déesse poquée mais une déesse. Elle a regardé la maison et a proclamé tu devrais quand même appeler ta femme de ménage.

J'ai dû recommencer à m'expliquer. Si elle avait été là pendant notre absence, elle aurait appelé la police. La maison, elle la connaissait par cœur. Mais voilà, avec son nouvel amant, son chauffeur de taxi, elle a commencé la contrebande de cigarettes. Celles que je fume, ce sont des Mohawk. Les siennes. Tu t'imagines bien que son commerce est plus payant et moins fatigant que le ménage. Elle s'est payé une chirurgie plastique, elle s'est fait enlever son ventre et elle peut s'offrir au besoin le chiro et l'ostéopathe pour son mal de dos. Elle se fait donner des bijoux. La pauvreté, elle l'a oubliée. Même un insensé sait l'importance d'un peu de richesse dans la vieillesse. Nous n'allons pas commencer à la blâmer.

Carmen a repris sa complainte. Nous n'avons pas le droit d'être si cruches quand nous faisons de la sociologie. Je l'ai été. On dirait que je le suis encore. Comme si je n'avais rien appris dans mon métier de consultante. Ma sœur pensait que c'était de la *bullshit*. Je ne vais pas te dire tout ce que je décode maintenant. Te démonter tous les bateaux dans lesquels je suis montée. Tu aurais tellement honte. Nous aurons besoin de deux autres générations de femmes avant d'être à point dans tous ces métiers-là. Nous sommes encore trop raides. Nous voulons tellement tellement bien faire que nous en faisons trop et nous ne nous donnons pas la chance du recul. De la souplesse. Sans le dire, j'ai pensé parle pour toi, pendant qu'elle en remettait.

Elle s'est mise à s'inquiéter de Diane. Ta femme de ménage a un nouvel amant, à son âge, à au moins soixante-quinze ans. Elle fait le combat de la géante contre, contre quoi?

Pour lui répondre un peu, j'ai répliqué que Diane s'était toujours vantée d'être bien généreuse avec le sexe. Elle tient la forme, part de son HLM dans l'Est et elle vient jusqu'ici en vélo pour livrer sa drogue. Son chum n'en revient pas.

Le dimanche, tu ne les cherches pas. Ils sont partis à la pêche. Elle fait de l'angine et elle affirme que ce n'est pas grave. Que ça se soigne.

Carmen a tenté de se relever de sa chaise en proclamant qu'elle avait toujours su que nous étions des bombes à retardement, puis elle s'est effondrée.

Elle était vraiment mal en point et a demandé si Zut serait d'accord avec moi. Carmen inventait mon accord pour s'installer chez nous pendant quelques jours en prétendant craindre encore son mari. Il avait la clé de la maison et lui expliquerait encore jusqu'à quel point elle avait tous les torts. Selon lui, Carmen aurait mis la secrétaire dans son lit en lui demandant de la reconduire chez elle. Belle interprétation. Personne ne peut se défendre contre la mauvaise foi.

Elle a des phrases désespérantes comme la rupture est très dangereuse mentalement. Par où commencer à penser. Le bilan de tout ce temps. L'analyse. Le désenchantement était commencé depuis un bout. Mais la plus grande illusion du début était restée.

Elle avait été la première blonde présentée à la mère du fiancé. Tout ce que ces mots lui promettaient en bonheurs innommables, elle n'arrive plus à se l'imaginer. Et elle s'est mariée avec ces mots-là. Mon histoire à moi est aussi folle. C'était la veille de mon départ pour New York. J'avais les bras pleins et j'essayais d'ouvrir la porte de la maison et j'ai tout échappé en hurlant Zut. Il est venu vers moi et il a dit Zut, c'est moi. Il m'a aidée à ouvrir et à monter mes sacs. Nous avons pris un verre. Pendant que je finissais les valises, il est sorti chercher une grosse pizza chez le Grec. Il a passé la nuit ici et au matin, il s'est occupé des bagages. Tout le long de la route j'ai pensé à lui. Ma peau l'avait beaucoup aimé. Je me suis mise à lui écrire. Il m'avait promis de ne jamais mourir.

Ta fille est passée au bon moment et elle a ramené Carmen chez elle où, de fait, son mari n'a plus le droit de mettre les pieds.

Adèle qui ne voulait pas garder Carmen

Onze

Elle est drôle, ton Émilie. Elle se demande pourquoi tu lui as donné ce nom. Son père devait s'appeler Émile. Elle cherche maintenant à le connaître. Quand elle débarque ici, elle n'a plus que ce sujet en tête. Toi la si sage, tu devrais lui donner des pistes sérieuses ou avouer franchement ton ignorance. Tu nous caches ce bout de ta vie depuis cinquante ans. Moi, je me suis habituée, mais pas elle. Elle m'accuse d'être ta complice. Selon Émilie, à chacune de tes disparitions, tu t'en vas chez lui.

Ce matin, Zut a eu des propos bizarres. Il réfléchissait à haute voix sur la vieillesse qui n'est pas une qualité quand la jeunesse semble l'être, comme la blancheur de la peau ou la possession d'un pénis. Je tenais mon crayon, et il m'a accusée de ne pas l'écouter.

Je me préparais à une visite chez le pneumologue et j'écrivais la vie est courte, l'art est long, l'occasion fugitive, l'expérience trompeuse, le jugement difficile. Si Hippocrate a formé le docteur, je veux bien savoir ce qu'il pense.

Zut m'a taquinée en me disant tu ne mets plus de minijupe pour séduire, tu épingles des phrases sur ton corsage. Quand je sors pour une visite médicale, Zut s'inquiète et j'avais tenté de le distraire.

Tu vois, Zut, je n'ai pas dit mon pneumologue. J'ai dit le pneumologue. Il n'est pas à moi. Je veux le garder devant moi. Pas en moi. Pas à moi. Tous ces mon

41

avocat, mon dentiste, mon coiffeur, mon esthéticienne, mon libraire m'agacent. Parlez-en à votre médecin est un commercial pour me vendre des médicaments. La phrase, de fait, je l'apporte pour gagner des minutes avec le pneumologue qui me reçoit. Pour avoir le droit de poser des questions profondes. Celles sur lesquelles nous glissons sans cesse. Le temps que je passe avec lui, je ne veux pas le manquer. Alors, je veux retenir son attention. Ce moment-là passe plus vite qu'un bolide. Il est long à rattraper. Je dois savoir ce qu'il pense pour mieux juger de ses propositions. J'ai confiance en lui depuis la première rencontre. Il m'a dit qu'il pourrait mieux me soigner si je me rendais compte que je devrais participer.

Pour Zut, ma participation se transformerait vite en contrôle. Le contrôle de moi-même, ce serait pas mal pour continuer à lui échapper. Il commence à chercher à m'embêter comme au temps où il était jaloux. Jaloux de tout.

Avec son diabète de type 2 et son cholestérol et son mal de dos, il a de quoi s'occuper à plein temps. Il assume. J'ai été jaloux. En plus, je t'avouerai que j'ai aimé être aux aguets. Peut-être était-ce l'instinct du chasseur. Je l'ai toujours, d'ailleurs. En plus calme. Moins vif. J'ai compris que la mort était irréparable. N'empêche, ce matin, dans le miroir, il y avait un petit vieux qui mettait ses lunettes en même temps que moi. Je l'ai vu en mettant les miennes. Je me suis dit tiens, Adèle me trompe avec un vieux.

Oui, il tremble pour moi. J'ai toussé toute la nuit. Même quand je suis partie dormir sur le divan, il m'a entendue.

Quel calcul j'ai fait en pensant vivre deux fois plus en fumant. Je ne gagnerai pas de concours avec une telle bêtise. Bon, c'était bon. J'aimais ça. Dans notre cachette, mon frère disait ce sont des clous de cercueil.

C'est peu dire du défi qui nous allumait pour contrer un sentiment adolescent de détresse. Nous avions un petit animal apeuré dans la poitrine et c'est lui qui nous fumait. En nous cachant, nous ne risquions pas de faire rire de nous. Nous nous protégions du regard des autres. Ceux qui dissimulent la vieillesse font la même chose. Ils prennent la santé pour de la jeunesse. Restez jeunes. La vieillesse est aussi interdite que la cigarette. Mais toi, tu t'arranges bien avec ça. Tu fais la caramel et tout va. J'aurais bien aimé vieillir tranquillement avec une cigarette pour chaque coup de dopamine donnée par la nicotine.

Mon corps à la fin aura été le plus traître des traîtres. Il commence à me refuser tant de choses. Mais je le garde dans ma mire.

Adèle la fumeuse

Douze

Toi, es-tu choquée par le fait d'être mortelle? La plupart des gens se sentent coupables de vieillir même s'ils n'y sont pour rien. C'est pire que la tache originelle. Probablement parce qu'il ne nous reste plus beaucoup de temps pour nous reprendre. Il est facile de penser que nous avons tous raté nos vies. Tu connais quelqu'un qui, même très philosophe, aurait réussi sur toute la ligne? Juste le fait d'être mortel devient un échec. Pour l'effacer, nous pourrions adhérer à quelques promesses. Tu sais qu'en ce pays où l'on cultive le positivisme au maximum, les chercheurs en santé ont créé le groupe E.R.O.S. et on s'y occupe de la vieillesse avec la méthode P.L.A.I.S.I.R. Il s'agit d'un système d'évaluation de l'autonomie.

Je ne sais comment j'en tirerai un poème, mais j'ai écrit:

Le camouflage

La ségrégation résidentielle

La violence

L'âgisme

J'ai demandé une chambre du côté du soleil pour soigner mon plant de cattleyas, pardon, pardon pour mon plant de marijuana.

De fait, je paranouille, j'ai peur, je crains d'être découverte comme si j'avais commis une faute énorme. La vieillesse serait un crime. Elle arrive aux paresseux, aux lâches et aux lièvres. Chaque fois que la télé nous montre une maison de retraite se cherchant une clientèle avec des airs de club Med, je change de chaîne. Et, par le plus vilain des hasards, je tombe sur un reportage sur la maltraitance dans les maisons de vieux où le personnel est minimalement rémunéré.

Ni toi ni moi n'avons pratiqué la prévoyance. Toi, tu es peut-être dans un paradis retrouvé, et moi, ici, je remonte la maison. Toi, tu essaies peut-être d'apprendre à te dédoubler tandis qu'ici je pense à la poète étatsunienne Catherine Porter, qui avait fait graver sur sa pierre tombale Excusez-moi pour la poussière. Je sais que tu vas apprécier son humour.

Il serait logique de t'imaginer en terre promise, en train de faire la nounou chez des riches, au bord de la mer. Tu gagnes ta vie et tu compenses ta peine de ne pas avoir accès à tes propres petits-enfants en t'occupant de ceux des autres. Tu finiras bien par me le dire. En tout cas, tu n'es pas en Palestine puisque l'on sait que les gens qui y vivent sont les plus tristes de l'univers. Les murs ont toujours été de trop pour toi.

La vieillesse doit avoir des fissures par lesquelles nous pourrions nous glisser hors de son contrôle. Autant te l'avouer, on vient de me déclarer hypoglycémique. Le mot a été prononcé par un endocrinologue, à l'hôpital où l'on m'avait transportée, inconsciente.

Je crois que je n'ai jamais coulé si profondément dans la grande noirceur. Aujourd'hui, je sais que jamais plus je ne porterai de lourds bagages pleins de sirop pour apporter le sucre de chez nous autant à ma bouche qu'ailleurs. Le chagrin est gros, agaçant et contraignant.

Cependant, je ne voudrai jamais recommencer ma vie. Mais je désire bougrement l'allonger et la continuer.

Comme dit le poète québécois, ils ne sont pas tous chinois, je marchais, je ne savais rien hors que vivre est une œuvre ardente.

Adèle

Treize

Ici, aujourd'hui, c'est poubelle et Zut est sorti avec le caddy et ses grands gants jaunes pour aller fouiller dans les rebuts. Moi, je suis allée chez le podiatre. Positif. J'avais une idée du confort et il me semblait que des bons souliers orthopédiques me rendraient une meilleure démarche. Je me suis rendue chez *Allons*, en autobus. Au nord de la ville. On m'y a fait attendre pendant trois heures. Pourtant, j'avais un rendez-vous.

L'attente a valu le coup. J'ai assisté à un spectacle inattendu dans un magasin de souliers à des prix exorbitants, plein de vieilles femmes.

Il y avait deux commis. Des hommes dans la trentaine. Chics. Bien habillés. Pas le genre Milanais mais plutôt Florentin, un peu précieux. Tu vois le genre. La rencontre avec une cliente a commencé de la façon suivante. Madame Dufresne, si vous voulez bien me suivre. Donnez-moi votre sac, nous allons le déposer à la caisse. Vous serez plus à l'aise pour l'examen. Suivez-moi. Marchez devant moi jusqu'au bout du couloir. Allez, soyez à l'aise. Avancez doucement. C'est bien. Maintenant, revenez vers moi, lentement.

Quand la dame s'est retrouvée près de lui, il s'est mis au ton brusque. Mais, madame, vous ne vous êtes pas vue. Vous ne voyez pas comment vous marchez. Regardez-moi, je vais faire comme je vous vois. Vous marchez le cul dehors. Vous avez une jambe plus courte

47

que l'autre. Ça vous vieillit. Mais je vais vous aider. Nous allons bien vous chausser et vous allez vous remettre à marcher droit et vous n'aurez plus mal aux pieds. Venez avec moi. Tenez-vous à mon bras.

Le couloir donnait sur un espace en retrait. L'air de rien, je me suis avancée pour y voir. Il y avait apparence de trône sur le mur au fond. Le commis y a fait monter la femme. Il l'a aidée à s'asseoir. Il s'est agenouillé devant elle, il l'a déchaussée, a bien regardé ses pieds et les a placés l'un après l'autre sur un petit banc mécanique qui bougeait de bas en haut. Ensuite, il a fait redescendre la femme en lui offrant la main comme si elle était une princesse et l'a menée à une plaque rayons X encastrée dans le plancher, à un plat de moulage et, un peu plus loin, vers l'étalage des souliers.

J'ai moulé votre pied pour vous créer un support personnalisé.

Elle pourrait le porter dans n'importe laquelle des chaussures en exposition. Avait-elle fait son choix pendant son attente? Tout ensemble, la semelle personnalisée et le soulier choisi, ça lui coûterait de huit cents à mille cinq cents dollars.

La femme n'a pas sourcillé et elle a demandé une copie de l'ordonnance pour la montrer à son orthopédiste. Le commis s'est soumis de mauvaise grâce à cette exigence et, en la lui tendant avec son sac, il a commencé à réaliser que son show n'avait pas marché. La femme est repartie toute droite, la démarche presque légère avec des hanches qui se moquaient de lui.

Le commis a disparu un moment. Il est revenu s'occuper d'une autre cliente et il a recommencé le même jeu. Alors, j'ai décidé de quitter les lieux. Je ferai comme tout le monde, je m'achèterai des semelles apaisantes à la pharmacie. Le soulier orthopédique était au-dessus de tous mes moyens économiques et psychologiques. J'avais eu une tentation désordonnée. Selon moi, les commis sont payés à la commission et cette technique de vente tient à des principes de barbarie que je ne connais pas. Je dois apprendre. Zut dirait que certaines personnes sont prêtes à dépenser des sommes folles pour se faire aimer. Parfois, la maltraitance réussit à soutirer des biens là où les sourires n'ont pas réussi.

À l'arrêt de l'autobus me ramenant au métro et à la maison, un jeune homme portait un t-shirt imprimé *Jésus vous aime*. Il est fort probable que Dieu, mon double idéal, soit aussi étonnant que l'idée de l'éternité.

Laissons filer ces choses vers les nuages roses du jour avec le poète québécois : nous sommes des choses qui réfléchissent au fait d'être des choses.

Adèle le nuage

Quatorze

Le voisin d'en face a l'air d'un berger urbain avec son blouson jaune et sa canne rouge et blanche. Il est juste à moitié aveugle. S'il l'était complètement, la canne serait toute blanche. En plus, elle est télescopique. Il doit toujours en acheter deux à la fois, l'élastique étant de qualité douteuse mais la seule du genre qui soit disponible sur le marché.

Je l'ai trouvé en sortant de la maison. Il marche à l'ombre, de mon côté, pour mieux voir et tâter les bords des parterres. Le plein soleil l'éblouit et l'aveugle totalement. Quand nous nous trouvons, nous avançons bras dessus, bras dessous.

Il va subir dans quinze jours une opération aux yeux. La docteure lui promet une augmentation de la vue d'au moins vingt pour cent. Son mal d'œil tient à la rétine, mais en enlevant les cataractes, sa vision devrait s'améliorer.

Au coin de la rue Lajoie, il s'est arrêté en demandant s'il pouvait me faire une confidence à propos de sa canne. Il se pose une question. L'abandonnera-t-il quand il verra mieux ? Pourra-t-il s'en séparer ? Il vit seul et elle lui permet de sortir tous les jours en mesurant son espace, ses limites. Elle lui donne la chance de communiquer. Les gens ont tendance à s'inquiéter de lui. À lui offrir leurs propres yeux et leurs bras pour l'aider. Il se fait ainsi des connaissances. Sa canne attire les gentillesses.

Selon lui, le vieillard n'intéresse personne. Mais s'il est aveugle, oui. L'aveugle permet aux gens de se croire bons. Ils veulent l'aider et il leur donne la chance de trouver de la bonté en eux. Tu vois, il craint que l'abandon de sa canne le conduise à la solitude. Cette peur le tracasse plus encore que l'échec ou la réussite de l'opération. Pour lui, la solitude est la porte ouverte au bourreau de l'ennui. Il s'en méfie. Je l'ai accompagné jusqu'à l'avenue du Parc pour aller chercher des mini tablettes de chocolat en solde.

Le lendemain de l'Halloween, tout ce qui n'a pas été acheté à la géante nouvelle confiserie par les vampires, les sorcières, les chats noirs qui en remplissent leurs sacs, voit son prix réduit des trois quarts.

Le rituel urbain des enfants déguisés est un détournement commercial de la célébration de l'abondance des récoltes dont la citrouille est le symbole.

Mais ils s'amusent bien en portant des costumes jouant avec l'idée de la mort. Brigitte, les petits des campagnes font-ils de même ? Ta fille m'assure qu'elle n'a jamais couru l'Halloween, ni avec toi ni avec son frère.

Au Mexique, un jour de début novembre où j'étais allée au lancement d'un de mes recueils de poèmes traduit en espagnol, j'y avais vécu une expérience troublante. Invitée à dîner dans une famille, la mère avait servi une entrée faite de bonbons en forme de cercueils où mon nom était inscrit en toutes lettres. Croquer cette pâte d'amande enrobée de chocolat fut une initiation de taille. Il est secourable de pouvoir l'avaler avec un verre de mescal.

Si nous offrions pareilles sucreries aux enfants qui sonneraient à notre porte, je crois que les parents des petits squelettes viendraient nous battre.

Mon voisin est bien d'accord. Ses chocolats trouvés, je l'ai laissé pour continuer jusqu'à la papeterie. J'ai besoin d'enveloppes de grand format pour continuer à ranger les documents qui me restent. Tu vois, je multiplie les pas dans la rue pour continuer à ranimer la maison.

La semaine dernière, à l'épicerie, une écrivaine de mon âge m'a dit tu sais, les voyages, c'est un autre absolu. Alors, je suis redescendue sur terre, l'absolu n'est pas supposé loger dans ma philosophie de vie.

Adèle automnale

P.-S. J'aime la calme inquiétude de mon voisin aveugle. Cet homme est un adoucisseur qui défroisse mes rancunes. J'entends bien les voir crever avant moi.

Quinze

Je voudrais te parler de Carmen, qui passe la moitié de ses journées à la maison. Le soir, elle tente par tous les moyens de rester coucher. Je dois faire de la dissuasion. Depuis cinq mois, elle ne va pas bien. Son divorce, la faillite de sa compagnie et une forme de régression lui ont pris son énergie.

Voilà qui me fait penser à la longueur de ton absence à toi. Quand je t'écris, j'ai l'impression d'être une cellule lancée dans le cosmos. De fait, cela arrive exactement au moment où je clique sur le bouton d'envoi.

Comme tu refuses de nous dire où tu es, l'effet est décuplé. Dorénavant, je t'appellerai la sidérale.

Carmen ne va pas et Zut a de la difficulté à la tolérer. Il a toujours mis à l'épreuve mes amitiés. Là, je le vois déployer sa mécanique et voici sa chanson.

Elle m'énerve. Elle m'agresse. Elle est toujours en train de me chercher des poux. C'est une spécialiste de la contestation. Une dominatrice. Une contrôlante. Je ne peux pas dire la moindre petite chose sans qu'elle me demande si je suis certain de ce que j'avance. Si on la gardait ici, elle se mettrait à gérer toute la maison. La climatisation, c'était d'accord. À cause de ta bronchite chronique et de ton asthme.

Quand Zut est en train de créer un drame, je sors marcher et me baigner. Dans la piscine du Y, mes pareilles ne manquent pas. Aujourd'hui, je n'ai pas le goût.

Avec lui, j'ai bataillé pour garder chacune de mes amies. Il leur trouve tous les défauts. Ou encore il s'arrange pour me faire croire qu'elles essaient de le séduire.

Je tente d'arrêter le chantage. Tu-veux-tu-un-petit-muffin-au-pot-mon-amour.

Voici pour lui la plus belle offre de la journée. Nous faisons la paix.

Si j'arrête de fumer, est-ce que le pneumo va me signer une ordonnance pour la boutique Compassion, où l'on peut se procurer légalement de l'herbe pour se soigner?

Selon le pharmacien, en France, jusqu'à l'arrivée des pompes sur le marché, on soignait l'asthme avec des cigarettes de mari.

Les cigarettes s'appelaient des, des, oh là là, des Gras Louis.

J'en ai cherché la dernière fois en France. Dans toutes les vieilles pharmacies. Plus personne n'en avait. Mais ils en avaient tous vendu.

Je veux arrêter de fumer. Le doc m'a dit, le cou penché, un peu de biais pour ne pas donner l'impression d'un affrontement, que si je continuais, il ne se sentirait pas le devoir de continuer à me parler en plus de me soigner. Quand je lui ai appris ma crainte de prendre du poids, je me suis battue toute ma vie contre l'obésité, il s'est moqué de ma gueule comme si j'avais prononcé la pire des niaiseries. Je peux dire à sa décharge qu'opposer la silhouette fine à la fin définitive n'est pas génial.

Mais en même temps je me raconte des histoires. Je soupèse la volonté de me priver du tabac et la panique devant l'allongement du temps de vie. Au lieu de faire des débats sur l'euthanasie, ils devraient peut-être nous laisser consommer à notre goût. Ils arrêteraient d'écrire des titres odieux. Les pires sont dans les pages AFFAIRES.

Oui, je suis une poète et je découpe les articles dans les pages financières, économiques et sociales. Si je ne les lis pas, je ne comprends pas le reste ni même les commerciaux à la télé où tout le monde veut nous prendre même le fric que nous n'avons pas avec des assurances, des placements, des investissements. Ça me donne la frousse si je ne vois pas le sens. Je n'ai pas d'argent. Alors, je veux juste savoir pourquoi le prix du pain a tant augmenté. Je ne parle pas du reste.

Quand Hélène était malade, j'avais fait pour elle un détour par la boutique Compassion. Leur mari est une culture très surveillée. Tu peux l'acheter en sirop, en atomiseur, en biscuits. Tu n'es pas obligé de fumer. Parfait pour les rhumatismes. L'arthrose. Les nausées. Ma copine, celle que Zut appelle la biodiversité, travaille chez la cultivatrice. Et elle, il est mieux de ne jamais se fâcher avec elle. Tu comprends ?

Adèle l'amicale

Seize

L'espérance était à une autre époque une vertu théologale. Maintenant, elle est devenue une technicalité pour les statisticiens. L'espérance de vie s'est beaucoup allongée. Le langage scientifique qui ne peut pas désirer ou convoiter Dieu s'empare quand même du mot pour le faire vivre avec la contemporanéité, la matérialité et le dur désir de durer. Chez Péguy, le poète chrétien, il y avait la gloire de la vie éternelle dans la petite espérance.

En lisant les prévisions sur l'espérance de vie, je me mets à me chanter *Le pont Mirabeau* d'Apollinaire. Tu t'en souviens?

L'amour s'en va comme cette eau courante
L'amour s'en va
Comme la vie est lente
Et comme l'Espérance est violente

vienne la nuit sonne l'heure
les jours s'en vont je demeure

Passent les jours et passent les semaines
ni temps passé
ni les amours reviennent
Sous le pont Mirabeau coule la Seine

J'ai peine à continuer ma lettre parce que je sais que tu es en train de chercher dans ta mémoire les autres mots de ce poème mis en musique par Ferré.

Un jour, un an après la mort de sa femme, mon frère qui ne m'avait à peu près jamais rien demandé m'a téléphoné. Il ne se plaignait pas, mais pour dire sa peine, il voulait un poème sur la perte amoureuse. Sa réquisition m'obligea à chercher et à trier dans un vaste choix. Je lui ai couriellé *Il y a un temps pour chaque chose*, de la Bible, et bien d'autres. Aucun ne pouvait le satisfaire. Je n'allais pas lui envoyer l'un des miens pour ne pas me mêler à sa pudeur. À un moment donné, je lui ai fait parvenir *Le pont Mirabeau*.

Il m'a répondu c'est ça.

J'étais touchée de mille manières. Il n'était pas coutumier de la poésie et il avait choisi mon poète préféré. Il avait signé son message Les jours s'en vont je demeure.

Moi aussi, je demeure dans ma maison raisonnablement remise en ordre.

Il m'arrive encore chaque jour de chercher tel ustensile, par automatisme, il a disparu avec le reste. En roulant la chaise pour m'approcher du bureau, je regarde par terre et je vois que le grand plexiglas mis là jadis pour protéger le plancher de bois n'y est plus.

De le voler et de l'emporter en France, avec le reste, a dû leur coûter plus cher que de s'en acheter un chez eux.

Pourquoi s'étaient-ils chargés de m'enseigner le détachement? J'aurais pu apprendre cette leçon douloureuse toute seule.

J'ai travaillé aujourd'hui sur les mots espérance et espoir pour les besoins d'un poème.

Le mot espoir s'utilise seulement si l'attente d'un avenir est basée sur une estimation rationnelle. L'obtention d'un bien doit avoir de réelles possibilités.

Il suppose une capacité de pouvoir mettre en branle les conditions pouvant mener à bien le désir d'une chose. Voilà un mot actif.

Avant de terminer cette lettre, laisse-moi te raconter une anecdote qui m'amuse et m'abuse. La troisième voisine, vers Van Horne, a marché quelques pas avec moi, ce matin. Elle n'est pas loin de ses quatre-vingt-dix ans. Née en Pologne, elle est arrivée ici après avoir été libérée d'un camp de concentration dont elle refuse de parler. Elle cherche une personne ayant besoin d'une chambre gratuite pour ne plus vivre toute seule. Son mari est mort au printemps. Il n'est pas question pour elle d'abandonner sa maison pour une résidence de vieux et elle ne veut pas non plus aller vivre chez l'un de ses fils. À mon pourquoi, elle a répondu qu'ils n'avaient aucun sens de l'humour.

Adèle la rieuse

Dix-sept

Toutes les raisons sont bonnes pour être dehors parce que le temps des allergies est passé et je rencontre le monde vivant autour de moi. Tu connais quelqu'un, quelqu'une qui aimerait être logé gratuitement dans le quartier? Je pourrais peut-être en parler à ta fille Émilie. Il semble que plus rien n'aille entre elle et sa copine. Zut est mauvais joueur aujourd'hui. La prof de Qi Gong m'attend dans le parc. Il ne fait pas trop froid? Tu es certaine d'avoir les moyens de te payer un prof? Je n'ai pas le budget voulu, mais j'ai toujours vécu au-dessus de mes moyens. Ce n'est pas vrai. Je peux me sustenter d'œufs, de pâtes, de gruau et de pommes pendant très longtemps. Carmen qui a toujours eu peur du lendemain, elle, a tout perdu. Même l'argent de la vente de son agence. Son acheteur aurait fait faillite. Sa banque aurait joué ses placements et ils auraient fondu. Quelle année féroce elle a eue. Il me retenait. À quelle heure finit ton cours? J'irai te chercher et nous ferons le marché ensemble. Nous irions chez Adonis, tu deviens immensément gourmande quand nous y sommes. Tu pourras te lécher les babines devant les yogourts tant que tu voudras. Je ferai semblant de rien. Et je te laisserai regarder les gâteaux au miel et aux pistaches sans dire un mot.

Pourquoi essaie-t-il de me tenter justement le jour où j'ai décidé de couper tous les P dans la cuisine ?

Il en remettait.

Est-ce que tu veux que j'aille te chercher quand même pour un petit rendez-vous avec surprise ?

S'il n'arrivait pas avant midi, j'étais d'accord. Sinon, il me déconcentrerait. La prof trouve que j'ai facilement tendance à m'éparpiller. Je souffrirais d'un déficit d'attention.

Zut a continué.

Tu commences à avoir une belle liste de maladies. Les yeux, les oreilles, la gorge, le cou, les lombaires, les pieds, les ongles, la peau, les bronches, les sinus. Ta gourou va avoir de l'ouvrage.

J'ai commencé à plaider pour ne pas le frustrer.

Il faut que je reste active. Que je bouge. Que je respire de l'oxygène. Au bout de cinq minutes de marche, je ne suis plus la même. Et au bout d'une heure, je ne veux plus arrêter tellement je trouve la forme. Je recule dans l'enfance avec leurs métaphores. Les gestes sont beaux et je repousse les tigres dans la forêt avec les paumes des mains ouvertes. J'ai l'impression d'être une danseuse. Ma prof est une docteure française. Elle a vécu pendant des années en Chine. Plus je la suivrai, moins j'aurai besoin d'infiltrations dans le cou et le dos.

Et tu vas pogner le fixe sur le bouddhisme.

Je ne sais s'il redevient jaloux. À la fin, il prend un ton sportif, dans tous les marathons, on voit des octogénaires. Je ris et il continue avec un parler docte, la vieillesse n'est pas une histoire individuelle, nous avons un nouveau concept et du DHEA.

J'ai ri encore et il a ouvert la porte et m'a laissée sortir.

En attendant la prof, je dors en plein jour, debout, appuyée sur un arbre. Un arbre à soi. Voici le mien,

un ginkgo. Il y a juste un bon petit rebondissement, ici
à la hauteur des reins. Je glisse dans la sérénité. Après
un moment, je vois bien que la prof ne sera pas au
rendez-vous. J'avais cinq minutes de retard. Je marche
toute seule avec ce que j'ai appris.
Le Qi Gong va ainsi, *bella*. Pied gauche. Talon.
Transfert de poids. Le pied droit avance, se dépose sur
le talon puis met le reste du pied au sol. Déplacement
du poids à droite. Lentement. Tu comprends. Je me
sens comme un robot. J'avance dans la béatitude. Je
tiens le pas. La balance. Les *moon boots* bien au sol, sur
la neige, pour consolider la cheville.

Adèle en marche

Dix-huit

L'entrée du parc est devenue la place Marcelle-Ferron.
La peintre est devenue un lieu et un poème.

le rayon glisse
dans l'ombre d'un verre coloré
blues d'un blues reconnu
où t'en vas-tu Bloody Mary
recueillie dans une verrière
quel est ce souffle de toi à nous
dans cette ligne de plomb qui rassemble tes morceaux
je t'ai vue blueuse de western
dans le centre de ces cathédrales
où passent des métros parfois aussi la vue est rouge
parfois aussi nous la rions en jaune
tu la retiens dans les morceaux de verre
dans le sel d'une margarita oubliée
l'alcool ne nous saoule
où t'en vas-tu Bloody Mary
recueillie dans une verrière
tu marches en pleine cathédrale
j'ai marché au long de ton métro
dans la ligne de plomb qui ramasse nos morceaux

Si elle me voyait sans cigarette aux doigts. Nous
avons tant ri et fumé et scié de branches de menteries
ensemble. Quand tu iras au cimetière, tu iras voir, il y
a un banc à côté de sa tombe. Elle avait même pensé à

ça. Après avoir vécu à toute vitesse, elle voulait sentir le monde se reposer auprès d'elle. Quand la peine cogne trop fort à ma porte, je monte jusque-là et je pleure. Elle me disait toi, tu vois les choses que les autres ne voient pas. Quand je ne réussis pas à me faire entendre, je me souviens du jour où, à une réception, le maire s'était approché de Marcelle et lui avait demandé ce qu'il pourrait faire pour elle. Comme ça, d'un coup de dé, elle avait souri en répliquant qu'elle aimerait bien avoir une station de métro. Il lui a donné le métro de la place d'Armes. Tu connais ses verrières?

Tu es loin et parfois je ne sais plus à qui j'écris. J'ai le chaos. Mais le fait de me recentrer sur toi te ramène très près. Je te vois le sourire au coin de l'œil. Oui, tu as vu les verrières, mais pas la pierre gravée à l'entrée du parc où la lumière est bonne aujourd'hui.

Appuyée sur le monument à Marcelle, je regarde passer les gens, et, comme dit le poète québécois, nous garderons secrètes les alarmes de la mort.

Si la chose qui cogne était plus saisissable, je pourrais la décrire, mais je n'ai pas de mortoriscope.

Et le ciel est si bleu et les feuilles si tombées et les branches si nues et les pas de la rue si pressés et les mouettes rieuses si agaçantes et Marcelle si disparue que je suis surprise du bien-être de mes os. Ils vont bien.

Vérification d'usage, j'ai repris la marche et tout a avancé. L'infiltration de cortisone a réussi. Elle permet de tenir sans déchoir.

Un homme est passé. Il a regardé de mon côté et a continué son chemin.

Où l'avais-je déjà vu, remarqué? Il est entré à l'épicerie. Je l'ai suivi.

Je l'ai repéré dans l'allée des huiles. C'était l'homme de l'avion en première classe. Je me suis arrangée pour arriver juste derrière lui à la caisse où j'ai vite déposé mes achats près des siens.

La caissière a demandé si nous étions ensemble, il m'a regardée, j'ai souri et j'ai répondu pas encore. Il est sorti avec son sac en jetant un œil vers moi. Passé les portes, l'homme mystère n'était plus dans le champ de vision. Vers où avait-il filé ? Habitait-il dans le quartier ou n'avait-il acheté en tout et pour tout qu'une bouteille d'huile fine pour des hôtes l'attendant pour dîner quelque part autour ?

Une autre addition à la liste des questions tout à fait inutiles mais pouvant désennuyer.

Adèle avec et sans son arbre

Dix-neuf

C'était à Rome, dans le parc Garibaldi. Nous pouvions y aller à pied de notre résidence d'artistes où j'étais logée par un souteneur d'artistes, et j'ai pleuré dans le minestrone parce que ce lieu était sale, crotté, champignonné, malodorant, contaminé. Là, j'ai haussé les degrés de mes faiblesses physiques dont je porterai le poids jusqu'à la fin de mes jours. Mes bronches et mes poumons y ont été attaqués à jamais. J'étais arrivée pour six mois de travail. La fonctionnaire des lieux refusait d'installer la ligne Internet, prétendant que l'inspiration des artistes n'en avait pas besoin. Dans la ville sainte, elle croyait à l'inspiration et à la transmission magique des pensées. À l'usage, je vis bien que son ignorance et son mépris avaient une source, l'avarice.

Tu sais comment je suis. Je me suis battue. J'ai harcelé tous les responsables. À la quincaillerie, j'ai acheté du bicarbonate de soude, des savons, de l'eau de Javel, des brosses, des balais et des torchons pour désencrasser. Dans mon acharnement, je rêvais à du vinaigre blanc d'Amérique pour neutraliser les parfums nauséabonds. Il n'était pas question d'y ajouter l'horreur des vaporisateurs aux herbes, aux fraises, à la rose, à la violette, au citron, à la menthe, aux airs printaniers, à la lavande pour masquer la puanteur.

J'avais beau laver les serviettes et les draps, une odeur morbide s'y tenait. Dans la chambre, à la tête de lit était attaché un protège-tête en plumes datant des Étrusques, je l'ai arraché et mis aux poubelles. La fonctionnaire l'a repris en rentrant de son bureau, elle habitait le même building. Elle remonta même dans le garage les deux fauteuils défuntisés où l'on ne pouvait pas s'asseoir tant ils étaient défoncés. Il est fort probable qu'elle a depuis toujours meublé cet appartement à partir des mêmes poubelles. Elle s'en serait vantée à d'autres.

Raciste et sans jugement, elle prétendait, quand je me plaignais, que toutes les maisons italiennes étaient comme ça, crasseuses. J'avais affaire à une salope peu ordinaire. Par le fait de son vice, j'étais tombée dans les pages du livre fondateur de la littérature québécoise, *Un homme et son péché*.

À un moment donné, après avoir compris aussi, en lisant les notes des autres artistes venus avant moi, que l'Odeur durait depuis des années, je ne résistai pas. En consultant sur place des spécialistes, j'ai appris la réalité. Il fallait changer la laveuse contaminée et toute la literie et tout le trousseau ménager.

Je ne voulais plus discuter avec la fonctionnaire et j'ai fait appel en haut lieu. Après consultation avec les boursiers précédents, on m'offrit une nouvelle laveuse, des poêlons, une cafetière, des draps neufs et une ligne Internet.

J'avais gagné six mois de travail à Rome, j'en ai passé deux à faire du ménage et je n'ai eu la possibilité de communiquer par courrier électronique qu'au troisième mois. C'est là que j'ai commencé à faire des bronchites et des sinusites à répétition.

J'aurais pu partir et ne pas m'occuper de ces vilaineries. Mais, je me sentais responsable de la bonne tenue des lieux. Il fallait réclamer et changer le point de vue de cette fonctionnaire sur les artistes et les poètes à qui, de par sa fonction, elle devait respect, soutien et confiance. D'autres viendraient à ma suite, il fallait régler l'affaire.

Par la chorégraphe qui m'avait suivie dans les lieux, j'ai appris que la fonctionnaire était toujours en poste et qu'elle ne mettait le chauffage, l'hiver, qu'une heure le matin et une autre le soir. L'artiste est aussi partie en guerre contre la salope. Cette lutte n'a rien donné non plus.

Il me fallait te raconter cette infamie pour pouvoir enfin retrouver mes plaisirs italiens.

C'était donc à Rome, en octobre, où le ciel était si bleu et l'air du temps si doux et la brise si voluptueuse que le rêve d'être aussi éternelle que la cité nous accompagnait en marchant.

Dans un parc immense au-dessus du Trastevere, trois vieux, sur un banc, mesuraient leur âge à ces taches brunes qu'ils comptaient sur le visage de l'un et de l'autre et ensuite sur leurs propres mains. Ils jouaient les scandalisés et endormaient leurs yeux pendant un moment. Puis ils les rouvraient en jetant des regards autour d'eux avec des désirs précis. Ils se parlaient en refusant de choisir la voie à prendre. Le vautour de la peur incendiait leurs regards et ils mijotaient encore des appels de phares, clignotant des souhaits, les épaules au soleil, ils s'amusaient à être les pyromanes de la mort à venir.

Adèle l'arpenteuse

Vingt

Sur un autre banc, des vieilles silencieuses, tout en noir, laissaient boire leurs os au soleil. Les mains sur les genoux, elles faisaient un repassage mental pour effacer les faux plis de l'âge. Elles ont appris le zen en donnant le sein à leurs enfants. Toi, Brigitte, tu sais ça.

Zut, parti seul vagabonder, est revenu pour m'entraîner devant un petit bâtiment où les jardiniers du parc déposent leurs balais et leurs outils et me montrer une toute petite plaque disant ici vivait Michel-Ange et le monde a basculé.

Sur cette colline, l'artiste avait à l'œil, à sa gauche, le Vatican où il travaillait, à une demi-heure de cheval, et devant lui, de l'autre côté du Tibre, la Rome grecque de l'empereur Hadrien et ses marbres.

En 1498, avec la Pietà, le sculpteur avait quitté les dieux du parfait pour rejoindre les émotions des humains sensibles, réfléchis et vulnérables. L'art devint moderne, il fut appelé Renaissance et il valorisa la jeunesse.

L'esprit grec réclamait la beauté plastique. L'esprit judéo-chrétien désirait la durée.

L'histoire comparée nous dira qu'au même moment un Génois partait de Séville pour aller découvrir un autre monde.

La conscience de la vulnérabilité n'empêche pas la confiance.

En vieillissant, Michel-Ange racontait qu'une araignée se tissait une toile dans son oreille gauche et que dans la droite un grillon chantait jour et nuit. J'ai rendez-vous avec l'ORL. J'ai des images pour lui parler quand je le rencontrerai.

Sous les climats chauds, quand les jeunes sont au travail, nous voyons mieux les plus vieux en train de se bercer devant la mer, de se réchauffer le dos au soleil sur un banc derrière l'église, les hommes d'un côté, les femmes de l'autre, et même à chacun leur bout du village ou du parc. La division est nette et je tourne en rond dans mon propos. Par-delà les statues, je vois les gens. Parce que, en voyage, je suis plus dehors que dedans, et aux terrasses plutôt qu'aux musées et à marcher plutôt qu'à méditer en lotus.

Depuis toujours, je me suis demandé où était l'esprit de ces vieilles et vieux et vers où il voyageait. En tricotant, en égrenant le chapelet ou, mains posées sur le ventre, vers où glissaient donc leurs pensées?

J'ai même rêvé de ces moments pour moi-même. Toi?

Je les ai désirés pour enfin avoir le temps de suivre une idée, de son arrivée dans le cerveau jusqu'à son déroulement et à sa conclusion.

Des moments qui se pointaient parfois dans le roulement d'un train. Une image apparaissait, me rappelait ou mon père ou ma mère ou quelqu'un d'autre et me faisait me dire ah! C'était ça.

Le ça était le sens précis d'une parole entendue il y a longtemps. C'est ça que ma mère voulait dire. D'avoir enfin la chance, la paix et la capacité de capter le sens des mots me ravissait.

Cette expérience si gaie et si apaisante, j'ai toujours cru que ce serait le cadeau que la vieillesse nous ferait à nous aussi en plus continu.

Débarrassées des travaux lourds et ennuyeux, nous pourrions tranquillement nous abandonner aux vagabondages de l'esprit.

J'ai trop regardé de loin ces abandons des vieillards au soleil pour avoir le goût de passer au bouddhisme triste où toutes les règles de contention menacent de nous faire revivre en victimes de nos vies passées. Les tourments quotidiens sont bien assez. Quel ennui a besoin du culte de la souffrance?

Tout se paie déjà assez cher ici maintenant et dans chacun de nos organes sans aller nous tailler en plus une pointe dans une tarte pareille.

J'y renonce en me confortant avec les mots du poète québécois, la mort est un sentiment vague.

Adèle consentante

Vingt et un

La voisine polonaise était un peu perdue ce matin.
Elle a demandé où l'on avait mis son mari. Il ne
pouvait pas avoir disparu. Je l'ai prise par la main, je
l'ai appelée par son nom. Inquiète, elle m'a regardée.
La neige neigeait doucement. De ma main libre, j'en
ai pris quelques flocons pour caresser son visage.
Elle a repris ses esprits en disant *I was going to buy some
milk*. Nous nous sommes rendues chez le dépanneur
chinois, au coin de la rue, et nous sommes revenues
chez elle.

Il m'a fallu insister pour y entrer et me faire offrir
un café. Un doigt sur les lèvres, elle a réclamé ma
discrétion. Une femme est sortie du salon et est venue
nous saluer.

Sa communauté hébraïque lui avait trouvé cette
compagne, une compatriote nouvellement arrivée dans
le pays. Je suis restée avec elles pendant une bonne
heure. Madame Rubin avait vraiment repris tous ses
moyens.

Je ne sais pas si je dois prévenir quelqu'un et qui
pourrait être ce quelqu'un. Comment être tout à fait
sensée dans une situation pareille? Qu'est-ce que la
prudence?

Je reconnais le danger encouru ce matin par la
voisine, mais il était léger. La ville, le voisinage ont
ça de bon que si nous nous sommes donné la peine
de connaître notre entourage et d'avoir des relations

chaleureuses avec lui, nous courons le risque d'être protégées.

Tu me recommanderais sagement d'avoir tout simplement l'œil ouvert sur la rue et de compter sur la présence de la nouvelle compagne de madame Rubin, il me semble. L'œil ouvert, je l'ai tout le temps, c'est une de mes particularités. En anglais, ils appellent ça le *street's eyes*. Les voyages forment bien ce sens aigu de l'environnement.

Samedi dernier, en allant au parc pour pratiquer mon Qi Gong, une fillette d'une dizaine d'années m'a interpellée, par signes. Elle m'a convaincue de la suivre, d'entrer chez elle où toute la famille était réunie. Elle m'a menée jusqu'à la cuisine, devant la cuisinière pour éteindre un rond allumé. Le jour du sabbat, il est interdit aux religieux hassidiques de manipuler tout ce qui est électrique. Des cierges allumés brûlaient dans la maison. Il y avait là une dizaine d'enfants assis sagement sur des chaises droites.

Notre quartier est très kasher, mais madame Rubin n'appartient pas à cette branche du judaïsme curieusement antisioniste où les hommes se couvrent de chapeaux ronds de fourrure, énormes, même en été. Les femmes ont la tête rasée et portent généralement des perruques. Mais la semaine, sur les balcons, on les voit surtout en turban pendant les chaudes saisons.

Chez ces gens-là, les cheveux et les poils ont une grande importance. Il est interdit aux hommes de se raser les tempes, près des oreilles entre le crâne et les joues, mais non pas de les couper. Le port de la barbe est laissé au bon vouloir de chacun. La kabbale voit la barbe comme le symbole des relations entre les sphères supérieures, célestes, et les sphères inférieures, humaines. Les *peote* non rasés et non coupés sont les symboles des canaux par lesquels Dieu fait parvenir d'un côté la rigueur et de l'autre, la bienveillance.

En hébreu, le mot *peote* est le pluriel de *péah* dont l'équivalent numérique correspond à la valeur numérique d'Elohim, un des noms de Dieu. Ces papillotes, la barbe et les cheveux ne sont pas pour les femmes. Nous pourrions penser qu'elles n'en ont pas besoin ou qu'elles en sont indignes.

Un jour, une amie poète d'Algérie, avec qui je buvais un verre à une terrasse devant des jeunes femmes perruquées poussant des landaus, me dit avec un grand sérieux que nous avions ici un féminisme bien léger et bien tolérant.

L'an dernier, Nadja de France a monté l'escalier dans un état de grande nervosité. Elle venait de traverser la rue. C'est à cause d'eux que mes grands-parents ont quitté un jour la Russie. Ils ne pouvaient pas les supporter sans se sentir agressés. Il n'y en a plus un sur la rue des Rosiers, à Paris.

Moi, quand je les regarde avec leurs douzaines d'enfants, je me retrouve comme dans les années quarante, chez nous. Il serait bien intéressant de connaître leur mode d'éducation puisque jamais nous n'entendons pleurer, crier ou hurler ces petits. Mais, ils rient et jouent sur les trottoirs. Nous pouvons laisser nos portes ouvertes, les chaises sur les balcons, les outils de jardinage sans jamais nous les faire voler. Ce que nous sommes, ce que nous avons ne les intéresse pas du tout. Ils vivent à côté de nous et ils ne nous regardent jamais.

Ils sont les élus chargés d'aller de par le monde en se multipliant. Quand les Palestiniens font des manifs, les hommes se joignent à eux parce que Dieu ne leur a pas ordonné d'occuper Israël mais de se répandre sur la terre.

Adèle la non-choisie

Vingt-deux

Chère Brigitte, j'insiste sur mes voisins parce que tu ne connais pas cette branche où les jeunes femmes sont données en mariage à des hommes de même obédience mais vivant dans d'autres pays. Des marieurs patentés se chargent de ce rituel.

J'ai lu des romans d'écrivains de leur milieu pour les connaître de l'intérieur. La littérature et le cinéma sont des arts pouvant nous être utiles. Ils ne sont pas faits pour les imbéciles.

Mais je ne sais pas où ils vont quand ils meurent. Je vais demander à mon ami le poète québécois. C'est un initié. Ils vont dans l'attente. Pour eux, rien n'est accompli, rien n'est achevé. Le royaume doit être ici. Le futur royaume est ici, sur terre. Ce serait ma chance que le Messie arrive ici, dans notre propre ghetto.

Toi, Brigitte, où veux-tu être enterrée? Tu ne m'en as jamais parlé. Veux-tu être déposée près de tes parents? Y a-t-il là de la place pour tes enfants? Veux-tu être poussière au vent ou nourriture pour un lilas?

Cendre ou poudre d'escampette? Cimetière marin ou poudre de lune? Ce jeu-là, nous ne l'avons jamais joué encore. Par crainte ou oubli ou manque de temps ou manque d'ennui, nous avons passé outre. Et comme il n'y a pas de vierges pour les femmes au paradis, où veux-tu aller?

Je me rends compte de notre légèreté avec stupéfaction. La mort attendra. Nous ne sommes pas prêtes.

J'ai lu dans le journal qu'un peintre québécois montre avec succès ses tableaux dans une grande galerie de New York. Il peint avec des cendres humaines et de l'huile. Ses tableaux jouent avec les noirs, les gris et les blancs. Son nom, Marc Desjardins. Il accepte les legs de cendres pour son style photographique. Très beau. De lui aussi, il est dit par les commentateurs qu'il serait dans le temps des hommes.

La galerie de Chelsea où il expose donne sur la rue. C'est toujours bien pour une marcheuse d'avoir accès à des œuvres directement du trottoir.

Je n'ai jamais fait la queue pour aller dans des musées. À deux exceptions près et c'était pour la Pietà et pour la pierre du tombeau inachevé du pape Jules II. À vrai dire, cette pierre, qui fut longtemps cachée, était réussie. Nous y voyons un corps bien sculpté dont la moitié était déjà engloutie dans la pierre devant fermer le tombeau. Jules II n'avait pas compris la métaphore, il l'a refusée. Les historiens de l'art non plus, qui continuent à la nommer l'inachevée.

À Rome, j'étais seule sans mes personnages et je rapetissais à volonté la distance entre les siècles. Je rêvais chez les Grecs de la beauté plastique absolue. À deux pas de là, dans le ghetto, j'étais chez le peuple qui avait choisi la durée. Du temps des empereurs, devant ces deux entités, l'un avait choisi la Grèce et rayé Jérusalem de la carte. Et Jérusalem vit toujours et elle est encore un enjeu.

En traversant le fleuve, à dix minutes, je m'assoyais devant la première église chrétienne de la ville, à Santa Maria de Trastevere, une grande place où les premiers disciples de Jésus sortis des catacombes s'étaient assemblés. Qui étaient tous ces nouveaux convertis ? À ce que l'on dit, ils étaient de toutes les origines, Juifs, Grecs, Gaulois, Germains, Vénitiens, Sémites, Persans, autres, et unis dans la citoyenneté romaine, chrétienne, universelle et le désir de l'éternité.

Des dizaines de penseurs ont dû écrire des centaines d'ouvrages sur le phénomène des adversaires devenant amis pour aller au paradis. Mais, je ne peux les avoir tous lus tandis qu'en collectant des notes ici et là et en trouvant sur place les liens, je me suis fait une idée.

Flaubert a écrit dans une lettre, Les dieux n'étant plus, et le Christ n'étant pas encore, il y a eu, de Cicéron à Marc-Aurèle, un grand moment unique où l'homme seul a été. Si Marguerite Yourcenar, saisie par cette phrase, en a fait sa vérité pour écrire *Mémoires d'Hadrien,* c'est qu'elle a voulu y croire. En le faisant, ils oubliaient ou niaient le fait de la raison hébraïque, étrusque et italienne qui tenait pendant ce temps feu et lieu dans Rome en compagnie des dieux multiples. Je sais, ce sont plus que des nuances, ce sont des faits et je m'énerve et j'aime ça. Passons.

Je prolonge ici mon voyage en regardant les images de Marc Desjardins où il y a une église en ruine et où, à première vue, nous pourrions reprendre la vision de Flaubert. Mais nous aurions tort. D'autres dieux nous guettent et ils font déjà la guerre autour du monde. Elle est longue, la liste des horreurs humaines.

Adèle en chercheuse

Vingt-trois

Nous avions dix-huit ans et nous nous étions promis de partir avant de souffrir. Nous avions des oiseaux dans les oreilles quand nous entendions dire que ceux qui partent jeunes sont bénis des dieux. Et nous levions le nez fièrement quand Gauvreau clamait les suicidés ont du panache. Nous n'avons été ni bénies ni décorées de la grande plume parce que nous avons aimé la vie et que force nous fut donnée de ne pas la fuir. Je ne voudrai pas en être punie par quelques spéculateurs. Passons. Si je parle d'un malaise à une personne qui abhorre le lait, elle me demande si je bois du lait. Si la personne s'inquiète de son intestin, je le sais tout de suite. Elle s'informe pour savoir si j'ai déjà subi un lavement baryté double contraste. Chaque fois que je me plains, j'apprends les maux des autres et ma plainte tombe dans le néant. Si au moins elle tombait à l'eau, je pourrais la repêcher.

Aujourd'hui, je voudrais vivre toute seule. Dans un espace à moi pour tousser en paix. Pour soigner mon mal à moi. J'haïs le pathétisme. La honte me pogne à la gorge quand je suis obligée d'informer que je suis malade. Je pleure, je crie. Je suis malade. Je ne veux plus me défendre devant personne. Ça me rend irritable. On dirait un slogan. Mes gonds sont bien huilés. Oui, oui, Zut est très gentil mais il essaie toujours de monter le chauffage en cachette, et j'étouffe. Je cours après mon souffle et je crie. Je cherche ma pompe, j'aspire et je reprends mon souffle et je déclare que je suis malade. J'ai peut-être arrêté de fumer trop tard. Non, non. Le pneumologue a dit que tout irait bien avec les médicaments. Non, non. Il ne fait plus de scan. Selon lui, rien n'a bougé depuis deux ans. Il prétend que ces machines-là font voir des choses qu'on n'avait jamais vues auparavant. Alors, les nodules sont difficiles à interpréter. Il dit que j'ai été assez irradiée comme ça. Je me mords les doigts. J'ai arrêté de fumer. Dopamine, où es-tu?

Le premier tiroir à gauche du buffet est rempli de mille en-cas. De crainte de ne pas résister à l'envie de fumer, j'ai fait des réserves de nicotine en tous genres. De la poudre à sniffer. Des petites pilules blanches à mettre sous la langue. Des fausses cigarettes où l'on glisse des petits tubes d'eau et nicotine à aspirer. J'ai droit à des patches pour une période de trois mois. Et de la gomme nicotine. J'ai même dans mon sac à main une cigarette électronique avec laquelle tu aspires de la nicotine et expires une buée. Très élégant.

J'ai refusé par contre les antidépresseurs. En soi, ça fait grossir. Comme l'absence de cigarettes jouera aussi sur le pèse-personne, je préviens.

Je colle la patch tous les matins. Elle fait bien l'ouvrage et la nuit elle change la forme des rêves en leur enlevant tous leurs côtés flous ou distanciés. Tout devient hyperréel. La couleur de la chaise rouge est rouge, celle du sapin vert, vert. Ai-je jamais perçu autant de densité? La force des sentiments éprouvés grimpe aussi l'échelle des perceptions. Juste à songer à ce que je vais rêver, je sais que je vais croiser une aventure.

Dans les rêves forts et hauts, il arrive des surprises. Privé de nicotine, le subconscient est fouillé à tour de bras. Le censuré a des fureurs secrètes et des impatiences et des bêtes farouches viennent me harceler avec des souvenirs où je n'ai pas le meilleur rôle. La fois où j'ai menti, celle où je me suis sauvée, l'obligation dont je me suis départie, une série de manquements, l'apparition de mon personnage minable, pas très aimable. Vraiment, si je me soigne de la cigarette pour entrer dans ces lieux embêtants, dans l'ouverture de la boîte noire, je vais m'offrir une autoanalyse non désirée. Personne ne m'avait parlé de ce labyrinthe qui s'installe au creux des heures censées être de repos.

Une phrase lue il y a longtemps m'est montée à la tête au réveil, il y a des gens qui ne se pardonnent rien. Tu me permets de brûler les vieux scrupules? En mimant le geste d'avoir une cigarette à la main, d'aspirer profondément et d'expirer un bon moment. Le pardon fait-il oublier? Allons ailleurs si tu veux.

À la télé, il y a une dame instruite qui se présente à la présidence de son pays. Quand elle parle, elle bouge très vite les doigts de ses mains et l'on en voit partir un vol d'oiseaux. Son adversaire est un chanteur surnommé *Bandit Légal*. Marie Kettlie dit qu'il va gagner ses élections.

Adèle sans dopamine

Vingt-quatre

Notre amie la potière est passée hier avant d'aller chez la dame dont elle s'occupe tous les après-midi. Elle l'aide à faire des exercices de détachement. Ce tourment que vous radotez, est-ce qu'il est utile ? Non. Nous le jetons par la fenêtre. Elle passe ainsi avec elle tous les remords et les regrets qui tiennent encore. Nous les jetons par la fenêtre et nous allons nous occuper des choses importantes. De quoi avez-vous besoin dans votre état, à ce temps-ci de la vie ?

Imagine l'image. La vieille a quatre-vingt-dix ans. Elle est toute petite et pour préserver sa peau, pour éviter les plaies de lit, elle repose sur une peau de mouton. La potière l'accompagne. Lui fait voir les lignes de la main qui s'en vont à la fin. Les mains qui peuvent encore tourner les pages d'un livre d'art où elles regardent des œuvres de toutes les époques.

Ma mère, à la fin, au même âge, ne s'intéressait plus qu'au hockey, au moins disait-elle, ça, on n'en connaît pas l'issue.

Ça dépend des jours, mais je lis encore les petites annonces des agences de rencontres, en voici une qui va te plaire :

Femme cherche homme
Aimant marche cinéma
Voyage musique pour
Tendresse ordinaire.
Passé réglé.

Combien de prétendants réglés peut-elle se trouver? Cette femme réclame le silence, la sérénité et des jambes. Son désir est hors humanité. La vie nous fait avec nos qualités et nos défauts qui ne nous quittent pas aussi facilement. Je ne serais jamais capable de bâtir une annonce formatée comme j'en lis, ce qui me donne probablement le plaisir de les consulter.

Dans la page Affaires, le Planificateur suppose une augmentation du coût de la vie de deux pour cent et une espérance de vie de quatre-vingt-dix ans. Si la personne continue à vivre, elle est mieux d'aimer la soupe au gruau quand elle aura fini de manger sa dernière cenne.

Une autre nouvelle intéressante, tu y liras tout le monde de la finance actuelle. Le PDG a perdu 40 milliards de la Caisse du peuple. Il est parti avec une récompense de 40 millions. Le président de la Banque du peuple a perdu 30 milliards. Il a été nommé ministre des Finances. Il y a des rapports au monde qui ont bifurqué et nous n'avons eu droit à aucun rite de passage.

Et encore, *Bella,* sache que la Chantal à Madagascar me fait suivre le déroulement des guerres à partir de sites africains. Mets ça dans ta pipe. Toutes les métaphores inspirées du tabac se rappellent à ma mémoire.

Un chroniqueur très coté insiste. Ne vendez pas, cela reviendra. Selon toi, dans les poches de qui?

L'animatrice à la télé proclame avec aplomb que la liberté est un trait définitif tiré sur la volonté de séduire. Doña Juana ne serait pas libre. L'indifférence ne rendrait pas libre? C'est une nouvelle intéressante.

Je tire pour toi cette phrase d'un magazine. Les piscines sont pleines de bons vieux et de futurs bons vieux. Les confiantes portent des bonnets de bain de toutes les couleurs. Ça désennuie.

Qu'est-ce que j'en pense? J'ai trouvé les lignes qui suivent dans un cahier oublié quand je me croyais plus vieille qu'aujourd'hui.

Certainement, une force froide, une tête sans poussière propre à prendre le poids du chemin fatal, une bouche sans parabole devant le tyran muet, certainement un baiser cousu, un œil sans ouverture devant le vide de l'issue givrée, une mèche sans frisottis, un élan défait.

Ou peut-être un arbre roide, une fleur contre le néant, fière à fendre le vent, une abeille brillante, un miel à monter.

Ou peut-être une fin de compte, un nez de parfum près d'un or cendré, une bonté sans fard, une joie loyale, une lèvre sonore. Ou peut-être un rien vaillant, un rien voyant, une oreille guetteuse, un doigt montrant le tyran jetable.

Certainement une joie donnée, une mélancolie parée à peser les joies d'une vie versée avec le courage du désespoir humain.

Adèle en effeuilleuse

Vingt-cinq

Allora, Bella, je sais pourquoi il nous est impossible de te localiser. Tu vis toujours hors de nous. Ici même, dans ton quartier de la Côte-des-Neiges, tu fréquentes tous les lieux de culte où tu assistes aux mariages, aux baptêmes et aux funérailles de tous ces gens venus vivre ici. Chez les Grecs, es-tu orthodoxe, chez les autres, es-tu bouddhiste? Ta sociabilité ne ressemble à aucune autre et tu vis des aventures où tu trouves à être aimée en étant la grande ressource locale pour ces immigrants côtoyés.

Tu es probablement partie en voyage avec une de ces familles, dans un pays lointain, pour garder les enfants et continuer à leur apprendre le français. Êtes-vous en Libye, en Égypte, aux Indes ou dans une ville au nom rêvé, Tombouctou, Shanghai, San Francisco? Comme dit le poète québécois, je suis dans la ville et la ville est en moi.

Cet après-midi, mon église était un banc où j'attendais l'autobus. C'était l'enfance de l'âge, j'allais au cinéma en plein après-midi et toute seule, en plein hiver en me disant que l'arthrose se le tienne pour dit.

Je suis entrée dans la peau d'une autre, ce qui n'est pas une mince affaire. Une autre sans veines, à fleur d'enveloppe parcheminée. Une autre, calme, lente, retenue, à petits pas, le bras sur tous les garde-fous et qui, avec assurance, ne faisait confiance ni à ses genoux, ni à ses jambes, ni à son souffle.

Ce fut presque un travail d'actrice ou d'espionne, et pour garantir ma stabilité, je ne me suis regardée dans aucune vitrine

En cours de route, j'ai bifurqué dans la ville souterraine pour visiter les grands magasins et les Tout-à-un-dollar. Je fais toujours une crèche à Noël pour les petits filleuls, mais il me manque un saint Joseph. Il a été cassé il y a au moins cinq ans et je n'ai pas encore réussi à le remplacer.

Peux-tu le croire, je n'en ai trouvé nulle part. Comme la statuaire est maintenant essentiellement faite en Chine, je me demande comment elle peut nous offrir notre histoire en anges, en bergers, en Jésus et en Marie en oubliant le Joseph. L'information n'aurait pas été transmise? Je te jure que le père est absolument absent que ce soit en miniature ou grandeur nature. À toi, Brigitte-fille-mère, je pose la question.

Non, je ne te fais pas marcher, c'est la réalité d'aujourd'hui, j'ai cherché des Joseph en plâtre ou en sel ou en céramique, et je n'en ai point trouvé chez les profanes. Aux comptoirs, il fallait beaucoup d'humour pour s'adresser aux vendeurs et aux vendeuses, avec pareille question.

Alors, j'ai décidé de pousser l'enquête plus loin, chez le marchand d'objets religieux, il n'en reste plus qu'un, dans le Vieux-Montréal.

Il avait un Joseph, mais destiné à un grand espace. Pour les crèches de maison, il fallait commander un an d'avance. Quelques artisans des Alpes italiennes en fabriquaient. J'ai demandé les prix. Ça pourrait aller dans les quelque deux mille dollars.

Même par souci de l'histoire, le prix était trop élevé, tu comprends bien.

Depuis cinq ans, je cherche dans les ventes de trottoir, dans les marchés aux puces, dans les bazars des paroisses autour, Joseph a disparu.

Notre amie potière devrait peut-être nous en glaiser un. Vais-je l'insulter si je lui propose pareille création ?

Visiblement, le mythe du père du Christ n'a pas convaincu les Chinois. D'où vient que, faisant des Marie et des Jésus, ils ne tiennent pas compte de son existence ? Est-il possible que les gens qui leur commandent des statuettes n'en aient pas soufflé mot ? Qui a oublié et pourquoi ?

Je pense que je vais acheter un Roi mage pas trop doré et le faire passer pour un Joseph. Rien ne m'empêchera de le retoucher, s'il le faut. Je transmets les histoires de notre culture, voilà. Notre père qui êtes dans nos têtes, revenez sur la terre. Je me souviens de la poète du Luxembourg, Anize Kolt, qui disait Jésus, descends de ta croix, nous avons besoin de bois pour nous chauffer.

Oui, je sais bien que dans toutes les religions où le fils est devenu Dieu, il n'y avait pas de père. Même la mère de Bouddha a conçu sans son mari. Toi qui as caché les pères de tes enfants, comment célébreras-tu la fête du solstice, de la lumière ? J'essaie de t'imaginer.

Adèle devant la crèche

Vingt-six

Ta fille se sentait toute seule au monde et abandonnée de tous, alors elle a dormi ici. Selon elle, la mère est Dieu. C'est elle, Dieu. Elle a toutes ses qualités et tous ses défauts et, surtout, elle n'est jamais là quand nous avons besoin d'elle. Je regardais la neige. Toute la neige tombée en une nuit et une matinée. La ville est lumineuse et silencieuse. Des nuits de neige, je peux dormir dix heures. C'est ce que j'ai fait. Ta fille aussi, qui s'est réveillée en chantant.

En lui demandant de modérer ses transports, Zut dormait encore, j'ai préparé le déjeuner dans la cuisine. Émilie s'est collée sur moi comme quand elle était petite. J'ai bercé dans mes bras une femme de plus de cinquante ans pleine de chagrins. Une peine de tête ? Une peine de corps ? Une peine de cœur ?

Elle a pris sur la table une liasse de mes papiers. Les a redéposés. Elle m'a révélé l'inattendu en s'éventant. Vois-tu, marraine, c'est la ménopause. J'ai craqué. Une enfant. Une enfant avec ce gros mot. Des chaleurs en plein hiver. Peux-tu le croire ? Hier était déjà aujourd'hui. Le temps prélevait son dû beaucoup trop vite à mon goût.

Il fallait que j'aille arroser les plantes de la voisine partie en Floride. Émilie m'a accompagnée. Nous avons ri comme des joyeuses en nous faisant un chemin dans la neige. Les nuages nous en avaient offert au moins, au moins trente centimètres. Nous étions les blanches sorcières avec chacune un balai pour déblayer l'escalier et le devant de la porte de la voisine. Nous sommes entrées chez elle en nous secouant sur ses tapis. La neige neuve était propre et elle allait donner un peu d'humidité à sa maison fermée et si sèche de tout ce gros chauffage d'hiver. Nous avons remis de l'eau dans l'humidificateur pour protéger le piano. Émilie s'est mise à jouer pendant que j'arrosais les violettes, les orchidées dont une avait commencé à fleurir, la christ de paix, ainsi nommée par Marie, la femme de ménage haïtienne. Chaque culture baptise à ses croyances. La plante Aluminium, les amaryllis redondantes, l'aphélandra fleurie en jaune, tirent leur nom d'ailleurs.

Une azalée que la voisine a su conserver comme personne, les pleurs de bébé, au moins huit sortes de glaces, un cryptantus, un edelweiss brésilien, des cactus et des succulentes, les aglaonema modestum appelés vulgairement les chinois toujours verts dont je connais les noms parce que je les ai écrits sur des petits piquets. Il vaut mieux savoir à quoi nous avons affaire quand nous acceptons des tâches.

Dans la fenêtre avant, tous les cactus de Noël faisaient la fête. Émilie jouait. Avec un sentiment de sécurité, je me suis étendue sur le tapis et j'ai écouté l'indicible.

En sortant, nous avons entendu puis aperçu une ambulance qui s'est arrêtée devant la porte de la Polonaise. Nous l'avons vue sortir entièrement recouverte sur une civière que des préposés soulevaient haut pour ne pas toucher la neige. L'ambulance partie, un homme se tenait sur le balcon. Ce devait être son fils de New York. Pendant que nous avancions vers lui, il nous a annoncé *Yes, it is over*.

Nous lui avons offert nos condoléances en français. J'avais beaucoup aimé sa mère, une femme rieuse. Il a dit qu'elle l'avait toujours été. Il avait passé toute son enfance dans notre rue, avait étudié à McGill et aux États-Unis et n'avait jamais parlé français. Peut-être que ça n'était pas le temps, mais j'ai ajouté *you'll never know what you have missed.* Émilie n'a pas manqué de me souffler sa réprobation. Pour la millième fois, je lui ai rappelé qu'il n'était pas normal que ces gens vivent parmi nous sans apprendre notre langue. Je considère encore que c'est du mépris. Ou de la méprise.

Une partie de nos voisins kasher occupent les rues avec leurs autobus scolaires supposément interdits dans les rues résidentielles. Ils ne laissent pas voyager leurs enfants dans nos transports en commun et eux non plus d'ailleurs, comment pourraient-ils nous apprendre ?

Adèle avec ta fille

Vingt-sept

Émilie était d'accord avec sa marraine, mais elle ne lèverait pas un petit doigt pour changer les choses. Elle me répète c'est la mère qui est Dieu. Même absente, elle loge dans nos têtes. Je lui ai demandé de m'aider à dégarnir la bibliothèque de tous les livres non essentiels. Le pneumologue l'a suggéré fortement. Autant profiter de cette activité pour lui changer les idées. Même si mes bandits de bad-loc avaient commencé l'ouvrage, il en restait encore beaucoup, et si mes bronches ne les toléraient plus, il fallait le faire.

Devant elle, Zut calmerait ses ardeurs de conservation à tout prix. C'est un homme qui ne croit pas à la poussière.

Nous avons rempli six cartons en moins de deux et Émilie les a transportés dans sa voiture. Je les ai regardés partir sans trémolo. Ma vie de papier commençait à changer.

Émilie s'est invitée de nouveau pour la nuit prochaine. Bien installée dans le lit pour la visite, elle a regardé des films le reste de la journée. Zut en a partagé une partie avec elle.

Si tu doutes encore de toi, sache, Brigitte, qu'aujourd'hui tu fus proclamée Dieu, grand chef de l'univers et j'en témoigne. Nous n'en ferons pas un dogme et c'est rassurant. Toutes les religions s'étant faites pour l'écrasement des femmes, nous éviterons de répéter l'erreur.

J'ai toujours dit que les femmes n'avaient jamais créé de religions. Mais acceptons l'erreur. Mary Baker Eddy a fondé à Boston, en 1879, un mouvement religieux considérant que le mal pouvait être vaincu par la seule volonté spirituelle. Il s'agit de la Christian Science. Elle a des églises dans une centaine de pays. Elle n'aurait aucun lien avec l'Église de Scientologie. La première est basée sur la santé et les remèdes cités dans la Bible. La deuxième veut créer un monde sans criminels, sans guerre, sans folie, et elle est redoutée par tous les gouvernements du monde.

La chose écrite comme ça a l'air tout à fait innocente. Tu sais, je ne voulais pas en débattre, mais juste me rendre compte de mon ignorance propagée jusque chez toi. Je me souviens comme nous aimions cette idée des femmes qui n'auraient jamais succombé à l'invention de folies religieuses. Passons.

Mais admettons qu'elles y ont mis du temps. Le xixᵉ siècle, ça ne fait pas quatre mille ans. Je croyais résister, mais la curiosité a été plus forte. Il m'a fallu aller chercher sur la Toile pour connaître les détails de leurs croyances.

Le diable est dans les détails.

Il s'agit de guérir par les prières. Selon Mary, le péché, la maladie et la mort ne peuvent avoir été créés par Dieu et ils deviennent par le fait même irréels.

Admettons avec intérêt que les deux religions citées ont mis le mot science dans leur appellation. Notre époque oblige. D'après Mary, il ne nous resterait plus qu'à avoir été bien engendrées pour échapper aux esprits de ces religions, si nous n'avions pas développé un bon système de défense. Sers-m'en deux doigts dans ma tasse, je ne sais pas ce que ça veut dire. De fait, je le sais mais je n'ose pas le dire.

Mes analyses font rire ta fille Émilie. Alors, j'en remets. Ne t'inquiète pas. Elle n'est pas en danger mais elle couve quelque chose dont elle ne veut pas parler. Je n'insiste pas. Elle m'a dit continue marraine de me traiter comme une enfant. Ça me repose.

Pourvu que l'idée du jeu se maintienne, j'accepte en faisant mine de ne pas m'apercevoir qu'elle ne va pas travailler et qu'elle ne veut pas rentrer chez elle.

Adèle compréhensive

Vingt-huit

Abattue, terrassée, je me suis roulée de force hors du lit, sans réveiller Zut. Dans la cuisine, où le soleil éclatait doublement à cause de la neige, j'ai montré mes mains à la lumière. De l'articulation de la phalange, de l'index immensément douloureux pointait un pic osseux. Le poignet n'avait plus de force. L'épaule grinçait et la hanche refusait toute flexion. Tout le côté droit envahi par la douleur menaçait ma santé de manière brutale, guerrière, agressive et inattendue. Des éclairs glacés traversaient mon corps et mon esprit. Il fut impossible d'ouvrir la boîte de café. L'attaque se révélait d'un sérieux provocant. Qu'est-ce qui se passait? Est-ce que le temps du renoncement à l'autonomie était arrivé?

La vieillesse n'est vraie que si nous sommes totalement embrasés par la défection du squelette. J'ai cru le moment arrivé. Il faudrait demander à Zut de préparer le café la veille, de et de et de.

Pendant un moment, j'ai renoncé. Puis, j'ai commencé à me dire des mots. Après rhumatismes, j'ai trouvé rhumatologue. En appelant au Collège des médecins, la réceptionniste m'a donné le nom d'un spécialiste tenant clinique dans le quartier. Au seul son de ma voix éplorée, la secrétaire m'a donné rendez-vous tout de suite. À cause de la neige, il y avait eu deux annulations. J'ai vaincu la misère, me suis habillée, et le taxi dans lequel j'ai réussi à me glisser m'a menée vers ce que j'appelais le miracle.

Le rhumatologue, qui a l'habitude de recevoir des éclopés, a écouté calmement mes plaintes et mon désarroi qui m'ont semblé tout à coup d'une banalité désarmante. Il a tout regardé. Le pic sur votre jointure va s'en aller avec le temps. Voilà, j'ai appris un nouveau mot. Chondrocalcinose. Ça peut toujours te servir, si cela t'arrive. J'en subissais une poussée. Il a fait une infiltration de cortisone dans la hanche et m'en a prescrit en comprimés pour défaire l'inflammation des autres articulations. À prendre pendant dix jours. Le calcium se dépose n'importe comment sur mes jointures. La vieillesse étant l'anarchie, comment arriver à la sage conservation de soi-même? La silhouette claudicante qui montait l'escalier, c'était moi. Pourtant, je ne m'étais pas ciblée et rien en moi ne voulait m'abattre.

Émilie dormait encore dans ce qui reste de la bibliothèque. Zut rêvait dans la fenêtre ouverte de la chambre. Il était plus facile d'ouvrir le sac de thé. J'en ai préparé. La bouilloire était déjà pleine sur la cuisinière.

La peur de l'immobilité m'a quittée petit à petit. Lentement, les joues ont pris de la rougeur et le cerveau s'est débarrassé de mille nuages. Dans la lumière de la fenêtre de la cuisine, la vie m'est réapparue étincelante et libre. Je n'étais plus dans le tunnel du renoncement. Des mots sautaient dans mon esprit, lumière, ténèbres, ombres, je réorganisais le chaos.

Émilie est apparue dans un t-shirt emprunté à Zut. Après s'être étonnée de me voir boire du thé, elle s'est préparé du café. Zut est arrivé à son tour. Je les ai laissés déjeuner. Il me pressait d'ouvrir l'ordinateur pour m'enquérir du contenu de mon nouveau vocabulaire.

Je voulais me concentrer là-dessus parce que, malgré la douleur, il me montait une telle énergie que je me mis à chanter Félix Leclerc. J'ai deux montagnes à, à... Je ne me souvenais plus que du sens et de l'air. Et c'est revenu : j'ai deux montagnes à traverser, deux rivières à boire.

Adèle et la cortisone

Vingt-neuf

Les pas en avant et ceux en arrière, les doutes, les hésitations et les bouderies de Carmen ont pris fin. Elle a rappelé. Elle avait eu un froid avec Zut. Je n'y avais rien compris. Mais je crois que le temps est venu de te parler du reste.

Depuis le début du mois de septembre, elle voyait un oncologue. Elle a accepté la biopsie mais a refusé le reste des soins qui lui étaient prescrits. En lieu et place, elle est allée chez un plasticien pour faire refaire son nez, qu'elle a toujours détesté. Carmen l'accusait d'être la source de tous ses malheurs. Aujourd'hui, il est tout petit. Trop, à mon avis. Mais c'est moins grave que le reste.

Vers la mi-septembre, elle devait retourner chez l'oncologue. Cependant, en attendant le rendez-vous suivant, je l'ai accompagnée chez du drôle de monde.

Près de l'aéroport, dans un petit hôtel pas miteux mais pas loin, nous nous sommes retrouvées avec une dizaine de personnes à regarder et écouter un moyen spécimen. Une femme qui a dû être prof, avec un accent et beaucoup de bagout et très à l'aise, nous a expliqué les fondements de la Médecine nouvelle germanique.

La publiciste, disons, ne s'exprimait qu'en anglais. Elle avait enseigné l'allemand, à l'Université Concordia, avant de s'intéresser à la naturopathie. Au début des années 2000, elle a rencontré un médecin du nom de Gamberger.

Sur les douze personnes présentes, ce soir-là, nous étions dix femmes et deux hommes, et les deux seules Montréalaises. Les autres étaient des praticiens de médecine douce. Ils étaient Canadiens, Étatsuniens et Sud-Américains. Tout ce beau monde souriait ou soupirait à chaque fois que la dame disait l'échec de la médecine classique et de la prière. J'en ai probablement manqué des bouts en anglais, mais pas trop. Une grande partie de son vocabulaire m'était accessible.

Parmi les idées folles que madame, madame, madame Ma, Mar, Marketberg. Oui, Marketberg. Je ne suis pas trop pire pour un âge qui dort. L'âge dort.

Selon madame, les virus n'existent pas. Par exemple, si nous douze, nous attrapions la grippe en même temps, ici, ce soir, aucun virus n'en serait la cause. Nous serions plutôt victimes en même temps et chacun d'un traumatisme personnel. Tout ce qu'elle présente comme preuves de ce qu'elle avance sont des témoignages transmis par son bon docteur.

Après toutes ces niaiseries, Carmen est allée la rencontrer, nous a payé des ateliers où nous étions censées apprendre ce qu'est le cancer et ce qui le provoque. Je l'ai accompagnée. Et plus j'étais révoltée contre ce discours, plus Carmen embarquait et m'envoyait paître.

Un jour, elle est partie en Espagne se faire soigner chez le bon docteur. Il l'a convaincue de s'être elle-même donné sa maladie. Il lui a fait une radio du cerveau et il y a découvert son bobo psychique. Mais il ne le lui a pas révélé. Elle doit le trouver toute seule. C'est ce que j'apprends maintenant qu'elle redonne signe de vie.

Selon mes connaissances, Carmen est dans une dépression profonde, elle est devenue totalement dépendante du bon docteur et il est en train de vider sa sacoche. Le soir, au téléphone, elle s'accuse de mille merdes.

Ce médecin a été chassé d'Allemagne à la suite d'accusations de pratique illégale d'une méthode de guérison non reconnue par l'État. La France s'en est aussi débarrassée. À part moi, personne ne sait où elle est. Un peu comme toi, tu vois. En plus, horreur des horreurs, elle est en amour avec ce docteur-là. Ma Brigitte, ça sent le désespoir à plein nez. Je divulgue parce que je n'avais rien promis.

Adèle en manque de toi

Trente

Quelle situation ! J'haïs ça, j'haïs ça. J'aguis ça. Ma Brigitte. J'aguis ça. Je l'imagine avec sa boîte de Kleenex en bandoulière, larmoyant d'espérance.

Ce matin, dans le courrier, il y avait un colis venant de Séville. Il contenait son téléphone cellulaire parce qu'elle veut pouvoir communiquer avec moi en tout temps.

Je ne sais pas si je suis un poteau, une béquille, une aide, une amie. Nous étions plutôt des connaissances. En principe, elle devrait t'avoir choisie, toi, et comment elle peut vivre ailleurs pendant trois mois, sans argent puisqu'elle a tout perdu. Toi, tu travailles. Mais elle, malade… Je ne sais pas. Flou, flou, je la vois flou.

Pour dissiper l'agacement que Carmen me donne, j'ai lavé tout le lit, enrayé les odeurs des bêtes d'hiver. Le vent a fouetté la couette et la couverte cheval. Et j'ai détesté une fois de plus mes locataires de l'an passé qui ont jeté la jupe du matelas et l'ont remplacée par un volant blanc eaudejavelisable IKEA, dont le système de rubans d'ajustement est très compliqué.

Ils avaient aussi ce goût-là. J'ai mis une demi-heure pour le dénouer et je l'ai jeté.

Est-il possible qu'ils aient été l'élément déclencheur de ma vieillesse ?

Depuis notre retour d'Europe, je visite le corps médical en entier. L'arrêt de la cigarette rend certaines heures de la journée absolument plates. Je mâche de la gomme à la nicotine, et en plus, quand je suspends la mastication, je dépose ma petite boule de gomme à ma droite sur la table. Or, j'ai toujours détesté cette manie chez les autres. Que la honte soit sur ma faute qui les a jugés si durement.

Le fait d'avoir arrêté me pousse par exemple à examiner tous les recoins de la maison et à me lever pour aller nettoyer, enlever une poussière qui m'aurait échappé auparavant. Bénie soit l'arthrose qui m'empêche de devenir maniaque et honneur à la poussière qui m'oblige à bouger.

J'ai fait le ménage des tiroirs, rangé les cassettes et les CD par genres et par ordre alphabétique, et ne me suis pas occupée naturellement de ce qu'il aurait fallu réellement nettoyer.

Bien sûr, je vais du coq à l'âne et je ne voudrais pas oublier l'âne.

Tu vois, je serais moins inquiète si Carmen était allée chez les gens de la Science chrétienne.

Je dis probablement n'importe quoi encore. S'ils croient à la prière, interdisent-ils le recours à la médecine traditionnelle?

Comme dit le poète québécois, d'où jaillit le mal comme une bombe?

En effet, la réception du cellulaire de la malade m'a dérangée. C'est comme si elle m'avait attaché une patte à son absence. Elle doit vouloir que j'aie peur avec elle. La demande de disponibilité continue ressemblerait bien à ça.

Si Zut entendait la sonnerie et me voyait sortir l'appareil de mon sac, il serait immensément curieux. Il ne doit rien savoir. Carmen l'a exigé.

Or, ma religion est de ne pas m'encombrer d'un téléphone portable, de sortir en paix et en toute solitude dans la rue. Elle le sait, et je vois qu'elle s'incruste dans ma vie et je doute de mes sentiments.

Je dois être une bien faible créature pour vivre des niaiseries pareilles.

À moins que ce ne soit l'effet dépressif de l'arrêt abrupt de la cortisone. Oui, j'ai fait une rechute de bronchite, mais je ne prends pas ce médicament plus de cinq jours pour éviter les autres effets secondaires.

Adèle au pays des nulles

Trente et un

Au moindre redoux, les gens s'imaginent déjà au printemps et ils sortent. Ainsi est arrivé ton Ukrainien tout pimpant. Il venait aux nouvelles. Il s'ennuyait de toi. Tu as envoyé une carte de vœux à cet homme de cinquante ans, ma parole, tu les prends au berceau. Tu as pensé à lui et pas à nous. Et ta carte était du Vietnam. Tiens donc. Le Vietnam. L'Asie. Il croit avoir bien décrypté l'oblitération.

Il avait apporté des gâteaux et nous avons pris le thé. À son nez, je crois qu'il aurait plutôt bu du cognac. Il n'est pas resté longtemps. Nos revenus reculent chaque jour et ils ne nous permettent plus d'avoir de l'alcool pour la visite.

Les spéculateurs ont tout pris. Sais-tu que le PDG de la Grande Banque gagne vingt mille dollars par semaine? Pourtant, il a perdu l'argent de nos institutions. Celle qui me devait vingt mille dollars m'a payée en crédits d'impôt parce que la banque gérant ses deniers lui en avait fait perdre neuf millions. Des crédits d'impôt à une poète, ils sont tombés sur la tête?

L'offre non négociable a fait la preuve de la mauvaise foi congénitale de la fonction publique soumise au ministre des Finances soumis à la racaille financière.

L'institution culturelle avait discuté de la perte avec sa banque, qui avait accepté un remboursement sur dix ans. J'aurais voulu pareille entente, mais le PDG culturel a refusé toute négociation. Un piège retient encore ma patte.

J'ai en moi un personnage continuellement en colère. Non seulement du fait de la perte mais aussi du fait du silence et de l'impunité qui suit. Tout le monde devient sceptique en gardant le silence. Tout le monde a perdu dans la crise financière. Pas économique. Financière. Les voleurs sont gras dur. On les appelait les bandits à cravate. Ils ont soumis la mode vestimentaire à leur désir de changement d'image, ils ne portent plus de cravate. Ils bouffent le fric et les métaphores.

Les banques retrouvent du pognon, mais dans les poches des citoyens. Ils vendent des pensions, des assurances, des placements pour notre avenir. Les gens placent ce qui leur reste de présent dans les goussets des malfaiteurs, et tout roule dans la farine pour les banques. J'essaie d'en parler autour de moi, aux vieux autour, ils font semblant de ne pas avoir été touchés. Ils ne sont donc pas fâchés d'avoir perdu aux mains des vautours ? Non, ils ont honte. La peur et la crainte les font glisser dans la honte.

À l'épicerie, dans leur panier, il y a beaucoup moins qu'avant. Du lait, du pain, des œufs, des yaourts, du gruau. Certains, parfois, au début du mois, commandent une tranche de jambon au comptoir de la charcuterie. D'autres ajoutent une clémentine. Des légumes ? Oublie ça.

Pour ma part, j'ajoute un sac de légumes congelés que je mêlerai avec le riz, et du chou comme dans les pays de l'Est pendant la pauvreté de la guerre froide.

Ceux qui emplissent leur caddy avec du poulet et du poisson et des oranges paient avec une carte de crédit. Non sans frémir à la caisse. Ils ne savent même plus s'ils ont les moyens. Voilà où le risque se joue. Pas à se battre pour faire baisser les prix ou à exiger des comptes aux banquiers protégés par les gouvernements. Ils jouent la carte de crédit. Sauf les voleurs, serions-nous tous devenus impuissants ? La colère me monte au nez parce que je n'avais pas de cognac à offrir à ton Ukrainien qui était venu sans s'annoncer pour me parler d'une amie que je ne sais même pas où trouver. Il est venu tâter le terrain et voir si je n'avais pas ton numéro de téléphone. À Noël, son fils lui a installé un système spécial sur son ordinateur permettant de communiquer gratuitement à travers le monde. Il a l'outil pour te parler, mais il lui manque des chiffres pour jouir de l'appareil.

Adèle malgré ton absence

Trente-deux

Serais-tu devenue aussi indifférente au monde qu'un séducteur ou un banquier ? Je n'aurais pas dû raconter que je t'écrivais souvent. L'Ukrainien va revenir. Il erre dans l'hiver ouvert où il ne tient pas la clé de tes jours.

Ciel et neige, pardonnez-moi, j'aime une vilaine. Nous sommes dans une société de droits et non de raison. La raison a perdu la raison.

Pendant la partie de hockey, hier, un joueur en a planté un autre sur la bande. Si nos fenêtres avaient été ouvertes, nous aurions entendu un grand cri collectif. Le joueur tabassé, allongé sur la glace, ne bougeait plus, ne répondait plus. Une civière l'a emporté. Au beau milieu, la fin, et le jeu a continué. L'horreur est humaine, comme le suggère Ostende, le Marseillais, dans son dernier roman.

Il y a le jeu et l'argent du jeu. Quand l'argent est plus fort que la règle du jeu, le mal est plus fort que le bien. Le jeune joueur emporté à l'hôpital a subi une fracture à la quatrième vertèbre du cou et une grave commotion cérébrale.

L'usure normale d'un corps est déjà éprouvante. Nous pouvons mesurer la douleur des fractures du petit qui dureront jusqu'à la fin de ses jours. Lion un, chrétien zéro.

Le fautif ne sera pas puni. Tout à fait comme les banquiers et les spéculateurs. J'aimais regarder les parties et jouir des descriptions, une belle mélodie d'enfance. Dorénavant, je serai privée de ce bonheur.

Nous louerons des films pendant un bout de temps et un samedi soir, juste pour voir, nous nous arrêterons sur une partie et ce sera reparti.

Nos résolutions prendront l'eau, elles couleront et elles se noieront. Comme dit le poète québécois, il court, il court, il n'arrivera jamais.

Je fuis ceux et celles qui en ont plein la bouche de leur solitude ou de la peur de tout. Mon miel vient d'ailleurs. Émilie est passée hier soir avec sa blonde dont le comportement est strident. Ta fille voulait lui montrer la décoration que nous avions faite à Noël et qui restera à l'année sur le mur du séjour. Il s'agit d'une guirlande de boules lumineuses multicolores se touchant l'une l'autre comme des perles enfilées. L'avocate et employeuse d'Émilie n'a pas apprécié.

J'ai raconté Istanbul où l'on propage la lumière à l'année. Là, la vie brille dans toutes les matières par la coupe des miroirs, des dessus de table, des verres. Tout s'irise la nuit dans les rues colorées où l'on boit, mange, chante et danse.

Émilie n'était pas à l'aise et je ne savais plus de qui ça dépendait. Elle est allée rejoindre Zut dans la bibliothèque et je suis restée seule à la table avec la blonde muette.

Pour lui tendre une perche, je lui ai demandé si elle connaissait les plantes. Sa réponse est sortie comme un smash au tennis. Les vôtres ressemblent à celles que tout le monde a dans son salon.

Je ne voulais pas l'étonner, mais la distraire ou l'empêcher de me dire quoi que ce soit contre Émilie. Il se tramait entre elles une histoire dont je ne voulais pas me mêler. La filleule ne revenant pas, la blonde s'est levée et est sortie sans dire un mot à personne.

La ménopause fait des ravages partout, ai-je pensé.

Adèle bée

Trente-trois

La neige avait encore recommencé. En buvant le café dans la fenêtre, j'ai suivi les gestes d'un chauffeur tentant de sortir sa voiture jaune de la ruelle. Ne demande pas la marque à une ignorante. Mais je peux dire modèle sport et très serin. Les roues tournaient dans le vide, sillons absents, sillage présent et un jeune homme impatient. J'entendais Zut. Il va noyer son moteur. Rien n'avançait ni ne reculait. Le chauffeur est sorti de la voiture, est allé chercher une pelle dans son cagibi. Elle était aussi jaune que sa voiture. Pendant qu'il pelletait, je l'ai vu prendre son portable. Il était jaune, lui aussi.

Alors, j'ai imaginé avoir là devant moi un graphiste obligé de justifier un retard ou au travail ou à un rendez-vous. Il gesticulait beaucoup et brusquement. Ce devait être un rendez-vous d'affaires.

La scène était superlative. Tu aurais aimé. Pourquoi les gens ne prennent-ils pas tous congé en ces jours blancs? Pareils à Zut, ils aiment les tempêtes. Il reste des journées tranquilles à la maison, et s'il pleut fort ou neige beaucoup, il sort ses costumes et va faire le brave sur les trottoirs. Les autres jours, il protège son dos.

La nuit dernière, avec ce silence de neige, je me suis bien gardée de prendre un inducteur de sommeil. Installée à la table, devant, j'ai écouté le vent et fouillé dans mes vieux papiers. Je laisse des poèmes partout et je dois les assembler pour une prochaine publication. Je ne sais pas si la mort de soi, la peur de la mort vaut la peine qu'on se donne toute cette énergie pour prolonger le voyage.

Tu me regarderais avec de gros yeux si tu étais là à m'entendre prononcer pareilles bêtises. Suis-je jalouse de toi ou du voyage? Si au moins tu le racontais, nous en profiterions. Non, je ne suis pas en symbiose avec ta fille pour être à deux en train de nous ennuyer de toi. Tu pars et tu fais la tombe pendant des siècles, ça va, mais parfois tu nous manques.

La neige est un état où nous pouvons tranquillement nous enliser tout en ne craignant pas d'être enterrés. Ici du moins, les avalanches ne risquent pas de poindre. La neige est presque une issue de secours, où la cendre et le sel sur les trottoirs ne servent qu'à nous empêcher de tomber.

Même à ça, certains jours, la mort devient un voyant lumineux clignotant. Pour désobéir à la fatalité, je fais des exercices. Je n'écoute ni la radio ni la télé et ne lis plus les journaux et ne vois plus ces mots étonnants: que ferons-nous de nos vieux ou êtes-vous pour ou contre l'euthanasie?

Sur le divan, un bon coussin sous les reins, je prends des nouvelles du monde en lisant le poète québécois. À côté des siennes, toutes les phrases sont des nuages secs.

N'obéissez pas aux ordres de départ.

Comme tu as toujours été ma première lectrice, je te soumets un poème pour voir s'il te chante quelque chose.

Apportez votre carnet de notes
qu'entre deux pas et quatre mesures
nous entendions nos voix titubantes
ou encore très fraîches dire nos désirs

de dieux anciens
ou nos envies de devenir
herbe, arbre, fleur
ou nos espoirs de prendre
racine et de grimper
en vie en vigne
contre la maison-mère du néant

Adèle se torturant

Trente-quatre

Si tu es au Vietnam, dis-moi ce que tu manges. Donne-moi une recette.

Afin de me rapprocher de toi, j'ai mis en terre de la citronnelle. Dans le bouquet de tiges acheté dans une épicerie, bonheur, il restait des fils à la racine. Dans l'eau, ils ont grossi et j'en ai tiré trois plants. Ma voisine chez qui j'arrose héritera de l'un d'eux. Toi aussi. L'autre, je me le garde.

La maison lutte contre l'hiver et Marie Kettlie arrive tous les quinze jours avec un plant nouveau. Tu devrais voir le coin vert du séjour. Elle installe chez nous son petit jardin d'Haïti. Elle arrose les plantes en mettant ses mains dans l'eau et en faisant jouer le pouce rapidement sur ses doigts comme si elle égrenait l'eau sur la terre. Et elle rit.

Kettlie, je lui ai dit, ton nom veut dire bouilloire, en français. Bof, elle a répondu, nous, nous choisissons les noms pour les sons. Cette femme me donne confiance. Je fais toujours confiance aux gens qui savent rire.

Après son départ, avec mon pouce vert et ma main verte, j'ai pensé à faire du pain. De la farine, de l'eau, du sel et du levain. Au lieu de m'adonner à d'ennuyeux exercices pour garder les articulations actives, je vais pétrir du pain.

Il faut trouver la bonne farine non blanchie avec soixante-quinze pour cent de gluten. Grosse occupation, puisque aucun vendeur rencontré ne connaît sa fleur. Maman disait de la fleur. La tienne aussi. Flor de harina. En anglais, c'est toujours flour. Comme si toutes leurs farines étaient fines. Est-ce que la farine non blanchie est de la fleur? Tu vois bien, chaque désir est une montagne d'explorations.

J'ai fini par acheter une marque dont on m'a dit grand bien. Les résultats n'ont pas été formidables. En continuant à tout questionner, la réponse m'est venue, cette farine avait été importée de là où l'on utilise des herbicides et des bêticides interdits ici. La mondialisation ne protège que les spéculateurs. Et encore.

Pour en avoir le cœur net, j'ai cherché la provenance de cette farine sur le site Internet. Nous sommes des artisans de la transformation de produits céréaliers biologiques de valeurs écologiques. Nous desservons tout le marché de la consommation. Le marché est presque trop vaste pour des artisans, à moins que le mot n'ait changé de sens en vieillissant.

J'ai trouvé mille autres informations comme l'indice de chute Hagberg et les certifications Eco Cert et Kasher-Parve, et mets-en encore, mais pas un mot sur les pays de provenance de leurs grains. J'ai décidé de demander d'où venait ce qui est transformé ici. Répondront-ils à ma demande? Tu verras.

Qu'est-ce qu'elles sont fatigantes, les vieilles. Veulent toujours tout savoir sur ce qu'elles achètent. C'est vrai. L'innocence ne nous est plus d'aucune utilité. Le danger est le malheur. Nous sommes beaucoup plus sages quand nous sommes heureuses, joyeuses. C'est fou tout ce que me donnerait la capacité de pouvoir créer du pain avec de la bonne farine.

Je me souviens d'une chanson du folklore acadien dans laquelle, en nommant chacune des choses possédées, nous avions un sentiment d'abondance. Te souviens-tu :

> … d'la fleur des poches d'avoine des souliers d'beu
> des filles et des garçons heureux…

Adèle excusez-la

Trente-cinq

Les prix élevés conservent des fantômes sinistres à notre détriment. Je ne me mettrai pas à écrire une théorie de l'agression. Mais il y a une propagation de liquidation en cours.

J'essaie de me prémunir.

La propriétaire a envoyé une courte lettre disant, étant donné les circonstances, votre loyer augmentera de vingt dollars par mois à partir de juillet. Elle ne nomme pas les circonstances. Elle n'ose rien invoquer. Les comptabilités ne manquent pas d'intérêt. La crise financière mondiale a fait grimper le prix des maisons. Ici. L'euro et le dollar étatsunien étant en danger, les spéculateurs se sont lancés sur notre marché. Ils ont acheté nos maisons à gros prix et les hausses de taxes ont suivi le mouvement.

La propriétaire devenue millionnaire de sa maison me convoque au paiement de l'augmentation des taxes. Ma pension de vieillesse, elle, est toujours en dessous. Ceux qui voient leurs biens revalorisés par la crise n'en retirent que les bienfaits. Tu n'es pas là, mais quand tu reviendras, tu feras face toi aussi. Si tu as fait une série de chèques à l'avance, tu seras pénalisée.

Pour éviter la panique, un surplus de stress, un effroi et la frayeur totale, je cherche le raisonnable, tout en sachant à fond que la raison ne va pas pencher de mon côté. Que permet la loi sur l'habitation ? Comment résister ? Devenir *bag lady* ou *bad lady*. Imaginer le pire pour te faire rire. Pisser devant, sur le trottoir, pour marquer son territoire. Avertir tout le monde, spent my pension on brandy and summer gloves. And satin sandals, and say we have no money for butter and learn to spit[1]. Demander la charité, faire la manche. Tous les coins de rue sont déjà pris. Louer la chambre et dormir dans la cuisine comme dans les vieux films italiens. Se faire interner dans une prison, en psychiatrie ou dans une maison de vieux subventionnée qui ne paie pas ses employés.

En parler avec mon mari, peut-être. Quand il m'a trouvée, la maison venait déjà avec moi. Trouver un loyer plus petit, un studio propre dans un building, ce serait à peu près le même prix qu'ici. Sans compter le prix du déménagement.

Partir à la campagne sans auto. Miser sur une petite maison dans un village reculé, avec un jardin.

Le choix est vaste. Chercher dans un quartier non gentrifié, plein de coquerelles et de vermine, un logement sans cave où les tuyaux pètent l'hiver et mettre une affiche sur la porte.

Ouvrez sans frapper
la vieille
qui gèle sur son matelas
et compte les perles à son cou.

Squatter une maison vide de Westmount, propriété d'un tyran du Moyen-Orient. Traîner mon sac à couchage jusqu'à la Grande Bibliothèque. Me marier avec Barbe-Bleue et qu'on n'en parle plus. Ou jouer à dire que le pire est encore à venir.

---

1. Jenny Joseph, *Warning*, Watsonville, Papier mache Press, 1991, page 1.

J'ai mis le pas dans la spirale où est née la dérision. Faut-il savoir tout de suite où sera la prochaine porte ? Je n'ai avec moi-même que des engagements à court terme. Pourtant, avant cette lettre de la propriétaire, j'avais un avenir un peu rassurant, tout allait encore mentalement bien et j'affirme que la pauvreté n'est pas une maladie psychique. Là-dessus, j'ai appris à débattre depuis longtemps.

Je n'ai pas eu le choix de vieillir ou pas.

Adèle la pôvre

Trente-six

À l'évidence, je me suis engagée dans un dialogue de sourdes. Les jours passés à tenter de te rejoindre pourraient ressembler à une monomanie. Pour faire échec et mat à toute mauvaise interprétation de ma part, j'ai décidé de parler à ton concierge en allant prendre ton courrier. Il pourrait m'apprendre des choses sur les recommandations que tu lui fis, il y a sept mois. Avant ton départ, tu lui as forcément parlé. La discrétion peut devenir suspecte, au bout d'un moment, et nous nous saluons de manière plus familière maintenant.

Le voyage de Carmen change un peu la donne de toutes nos ententes. Et, j'avoue, je suis curieuse. Une particularité qui ne t'a jamais dérangée. Nous avons toujours joué à deviner l'autre. Mais aujourd'hui, une grande part de toi m'échappe. En fait, comme tu n'es pas une personne mécanique, tu demeures imprévisible. Le recours à ta grammaire est agrippé à ton subconscient et je n'y ai pas accès.

Je tourne autour de mon idée pour m'aider à franchir le pas, et dans ma tête, il y a une danseuse dénudée s'accrochant à un poteau. Quelle image folle ! Zut, l'air détaché, pose de plus en plus de questions sur l'absence de Carmen. L'air détaché pour aborder le sujet ne me semble pas naturel. Il est allé aux nouvelles dans sa famille, personne ne connaît sa maladie et les raisons de son absence. Il n'y a que moi, et ce serait toi, si tu avais été parmi nous. Mais elle ne me donne plus le fil rouge pour la suivre.

Ce matin, dans les pages nécrologiques, j'ai découpé un *In memoriam*. Une photo d'un oiseau, la tourte. Le texte disait : Est disparue en 1914, la tourte, aussi connue sous le nom de pigeon voyageur. Autrefois l'espèce d'oiseau la plus abondante en Amérique du Nord, elle s'est éteinte des suites d'une chasse commerciale excessive et du morcellement des forêts où elle trouvait refuge.

Les mots pigeon voyageur disparu m'ont fait penser à mes deux amies parties sans laisser d'adresse. Carmen serait plus facile à retrouver que toi. Je n'aurais qu'à contacter la dame du docteur. Je n'aurais qu'à est une hypothèse pour me rendre la vie facile. Elle aurait tout intérêt à nous empêcher de joindre l'amie.

Peut-être avez-vous raison toutes les deux. Au lieu de discuter avec la propriétaire de l'augmentation du prix du loyer, je devrais m'envoler vers le lointain.

J'ai lu dans un essai sur la vieillesse que le fait de vivre sur un site de maisons mobiles, dans un doux climat, s'est révélé être le meilleur choix pour les vieillards. Tout en conservant leur intimité, les uns près des autres, ils se stimulent, se protègent, s'amusent et partagent beaucoup d'activités. Ils deviennent des dépendants actifs.

Tant que ma mère allait en Floride et se louait une petite roulotte, elle était dans un état sublime. Tôt levée le matin, elle allait aux courses, en vélo. Même arthrosée comme pas une, le soleil, la compagnie et la possibilité de partager sa bouffe la comblaient.

Elle avait quatre-vingt-cinq ans quand elle s'est arrêtée pour cause de vente du terrain de camping à des promoteurs. Les disponibilités suivantes sont devenues hors de prix. Elle a changé de vie.

Allora, l'ennui l'a prise. Ce maudit ennui des maisons closes sur elles-mêmes et leurs occupants. Ce baptême d'ennui morbide qui vous arrache le cœur et ne vous le rend pas. Cet horrible ennui qui vous donne le désabusement et le sens de l'inutilité. Quand la vie vous offre ce cadeau empoisonné, il ne faut jamais l'ouvrir.

Là-dessus, je compte sur toi, jolie fille, et je me mets à rire en pensant à toi. Mais je te reviendrai avec l'histoire de Carmen.

Adèle avec sa tête de roulotte

Trente-sept

Ton entourage habituel ne sait pas non plus où tu es. Plus muet que la carpe, il y a ton concierge. Tu l'as dompté ou bien payé, chère sans le sou. Déjà, aller chez vous dans ton quartier est une aventure pour tous les sens. Les mots appartiennent à au moins douze langues différentes, les tissus et les épiceries portent les marques soyeuses et odorantes des Indes et de la Chine. Christophe Colomb aurait été content.

J'ai risqué une visite là où tu m'as souvent entraînée pour acheter une épice d'un raffinement sublime nommée trigonelle. Selon notre ami Robert, il s'agit du fenugrec que Cendrars aimait tant avec le loup, quand il était à Marseille. La commerçante, enveloppée, emballée comme si elle vivait dans le désert, m'a reconnue et a posé la question, est-elle revenue?

D'où? ai-je demandé. Elle ne le savait visiblement pas. D'un mouvement, pour continuer à être dehors, j'ai tourné autour de ta maison, dans tous les sens. Les Indes. Le mot est ici, il est dans toutes les bouches comme il le fut à une époque de Moyen Âge.

Tu es partie aux Indes avec une de tes voisines. Tu l'accompagnes là-bas. Tes paroles me sont revenues. Tu disais Indira va partir. Elle veut faire une dernière grande retraite dans un monastère. Indira veut revoir sa famille. Indira n'est pas retournée chez elle depuis au moins vingt-cinq ans.

Pour garder le silence aussi longtemps, tu es hors monde. En train de faire quelle paix. Et avec qui. Si tu sors de ta cachette, si tu vas dans un café Internet, ouvre ton courriel. Ne lis pas tout. Mais cette lettre d'aujourd'hui. Parce que j'ai à te parler.

Carmen a téléphoné de Séville. Dans les jours qui viennent, je recevrai une enveloppe d'elle. Elle me recommande de surveiller le facteur afin de ne pas attirer l'attention de Zut et d'aller lire ce courrier bien assise dans un restaurant.

Jamais elle ne s'informe de ma disponibilité. Jamais elle ne sollicite mon accord. Jamais elle ne me remercie de quoi que ce soit. Je me sens obligée d'acquiescer comme si je m'ennuyais ou n'avais rien d'autre à faire. Elle me mène à sa guise. J'obéis. Qu'est-ce qui me motive? D'habitude, c'était ton rôle et ta fonction auprès d'elle, si je ne m'abuse. Elle doit me faire parvenir un courrier de grande importance et, sans justification de sa part, elle me prie de l'attendre.

Si tu étais là, l'angoisse s'atténuerait. D'habitude, je vais facilement mon chemin, mais là, je n'y arrive pas. Je ne me plains pas. Je dénonce l'utilisation que l'on fait de moi. Je dénonce la vieillesse. Je renonce à la mort.

Je renonce à la maladie de Carmen. Tu vois bien l'agitation dans laquelle me coince son secret. Et au nom de quoi suis-je tenue de le garder?

Pour tenter d'oublier l'impossibilité de te voir secourir mes recours, je m'en vais fouiller dans de gros catalogues numériques et jouer à me choisir une roulotte russe. Une roulotte à Costa Rica, ça te dirait? Elle pourrait avoir deux chambres.

Serait-elle en bord de mer ou à la montagne? Est-ce que nous pouvons entrer dans ce pays sans fournir la preuve que nous nous sommes gréées de cinq mille piastres d'assurances avant d'y mettre les pieds?

Adèle sans Brigitte

Trente-huit

Une grosse enveloppe est arrivée. J'avais pensé aller l'ouvrir dans une église pour le faire sans être vue. Toutes les portes de toutes les églises sont fermées. Tant mieux. Cette inhospitalité m'a donné la chance d'émousser la crainte et la curiosité en me rendant chez le Grec de l'avenue du Parc. La serveuse m'a apporté un grand verre d'ouzo comme il est de coutume dans ce restaurant. Je l'ai déposé sur la table d'à côté. Puis, lentement, j'ai ouvert l'envoi avec le couteau qui était sur la table. Je n'en ai retiré d'abord que les feuilles couvertes de l'écriture de Carmen.

J'ai quitté la ville pour un bon moment et avec la certitude de pouvoir revenir bientôt et guérie. L'oncologue m'avait donné pour six mois à vivre. Je ne l'ai pas cru. Ce n'est pas lui qui va décider de cette invraisemblance. Je ne veux pas mourir.

Tu trouveras, dans la petite enveloppe rouge, une clé avec l'adresse de ma banque et le numéro de mon coffre. Tu retireras tout ce qui porte mon nom. Surtout, tu n'en parleras à personne.

Je suis décidée à vivre cette expérience et je veux que personne ne se mette en travers de mon chemin. Les médicaments me font un bien immense, tout est clair dans ma tête et j'ai retrouvé une énergie perdue. De plus, j'ai toujours aimé l'Espagne. Partir pour l'Andalousie, c'était un beau vieux rêve. J'y ai trouvé quelqu'un qui prend ma part. Que désirer de plus ? J'ai le sentiment d'être une toréador capable de vaincre la bête.

Brigitte, en écrivant à quelqu'une ne me donnant aucun signe de vie, est-ce que je trahis le secret exigé par une femme atteinte? Il était trop tard pour aller à la banque. Comme les églises, elles ont des heures. J'ai regardé de tous les côtés avant de glisser l'enveloppe dans mon sac, en toute intranquillité. Pour me rassurer, j'ai continué à lire la lettre.

J'ai essayé de tout bien mettre en ordre avant de partir. Pas que je craigne de crever entre les mains du bon docteur allemand, mais parce qu'un accident, ça arrive tous les jours, et je ne voudrais pas que mon mari et ma sœur reçoivent quelques cadeaux de moi. Tu connais les raisons, je ne vais pas en rajouter.

L'enveloppe jaune est adressée et je voudrais que tu la portes chez mon notaire. Elle contient un codicille.

Dans la boîte métallique bleue, il y a mes bijoux et des billets de banque. J'allais écrire cachés de mon vivant, quel lapsus. Ce sont de gros billets. Pour le moment, prends-en deux. La faillite de ma compagnie est réglée et j'ai cédé le prix de mon bureau et des meubles à mes créanciers. Si jamais ma secrétaire avait des yeux sur l'affaire, elle sera bien déçue. Mais bien plus encore par mon mari. Je l'écris sans amertume, oh! Peut-être un peu. Mais si peu.

Les bijoux sont très intéressants, cache-les. Je ne suis pas morte. Je te recommande de prendre un coffre à ta propre banque pour déposer ce que tu auras retiré du mien.

Si tu t'inquiètes vraiment trop pour moi, tu pourras toujours te confier à Brigitte. Mais je sais que tu es forte et qu'un secret ne te pèsera pas trop.

Cette lettre contient l'essentiel de mes besoins et volontés, mais je te téléphonerai et t'écrirai de nouveau.

Je t'embrasse tendrement. Si je ne t'ai pas informée de mes avoirs avant, ne m'en veuille pas. Une partie vient de tricheries. Je me serais sentie obligée de me justifier. Je t'embrasse encore pour t'exprimer d'avance ma gratitude et te jurer ma reconnaissance. Je veux continuer à vivre. Carmen

Adèle en notaire

Trente-neuf

Attention, Brigitte, je me suis prise d'un fou rire. De tous les temps, nos éclats nous sauvaient en tamisant nos angoisses. La situation est bizarre et très très nerveuse. Je vois Carmen avec son petit nez, tout tout petit, voulait-elle apprendre déjà à moins respirer ? Au resto, je n'ai pas touché à l'ouzo, à cause de mon hypoglycémie. Je me serais défaite comme une pomme au micro-ondes. Tout ce que la vie m'aura offert est une vraie farce. Il me faut vivre face au destin. Nous sommes dimanche, je ne pourrai rien faire avant lundi. Mais en revenant, j'ai bien vu annoncer en gros, sur la banque : Nouveau, ouverte 24 heures sur 24 et aussi le dimanche. J'ai passé outre.

Tous les jours deviennent ouvrables. Les banques sont exaspérantes à la fin. Elles ne veulent plus dormir. J'ai changé de trottoir pour ne pas entrer dans l'obsession des voleurs de temps et de repos. Les églises ferment, les banques ouvrent. Que dirait Moïse ? Recollerait-il les Tables de la Loi ?

Au parc, pendant une bonne heure, je me suis abandonnée au Qi Gong. Mon sac, dont je ne connaissais plus la valeur, gisait au pied du ginkgo.

En le reprenant, j'ai perdu un bout de mon bel état de détente. J'ai vu marcher devant moi Émilie et Zut. Ta fille a quitté sa blonde avocate et elle n'a plus son travail de recherchiste à son bureau. Zut l'aide à chercher un nouvel appartement.

Toi, la taiseuse, ton tour de parler est arrivé. Si je continue à avancer seule, sur un terrain miné, je ne me contenterai plus de servir les visées des enfuies.

Zut s'intéresse beaucoup moins à mes sorties et j'ai retrouvé le goût de flâner et de parler toute seule. Avec beaucoup d'assurance, toutes mes dettes à l'amertume ont été bien payées. Les appétits majeurs me sont revenus.

La peur et l'effroi m'ont désertée. L'air du printemps y est aussi pour quelque chose et, au lieu de rentrer à la maison, j'ai marché dans le sens contraire.

Enfin, je suis allée à la banque ouverte de Carmen comme si j'avais fait ça tous les jours. Oui, mais en disant merci au cinéma qui nous a montré comment font les gens. Laissée seule dans la salle des coffres, j'ai sorti de mon sac l'enveloppe rouge, elle aimait le rouge, elle avait ça dans le sang. Tiens, j'ai commencé à parler d'elle au passé. J'ai fait glisser la clé dans ma main, sans enlever mes gants. J'ai ouvert le coffre et pris soin de bien identifier les éléments portant la griffe de C. Tout ce qui était décrit dans la lettre y était.

Je me suis permis de porter le regard sur les deux enveloppes au nom de son mari et les ai replacées, sans les soupeser. Sans me salir. Toutes mes pensées éparses réunifiées, la hanche droite bien voulante, j'avais autant vingt ans que quatre-vingts et j'avais en plus lu toute la Série noire. Les gens qui ont peur de la littérature ne savent pas ce qu'ils manquent. Tu m'avais bien appris à me passer de toi, je le faisais.

Adèle autonome

Quarante

J'avais pris avec moi un genre de baise-en-ville que j'ai déployé avant d'entrer dans un chic hôtel du centre-ville avec piscine chauffée sur le toit et chambre sans tapis, pour asthmatiques.

Après avoir refermé la porte, il m'a semblé que le garçon avait emporté avec lui le sentiment de sécurité qui me tenait depuis quelques jours. Lentement, en faisant le tour de la chambre et de la salle de bains et en vérifiant la fermeture de la porte, j'ai tenté de retrouver cette sensation.

Dans la fenêtre donnant sur la ville certaine et bien bâtie au pied de la montagne, des mots de prière sortaient librement de ma bouche. Protégez mes parents, mes amours et mes amis, maintenant et à toutes les autres heures et à l'heure de leur mort. Dans les siècles des siècles et les siècles des siècles.

Un vertige s'est abattu sur ma compréhension du monde, je me suis étendue, les pieds surélevés sur le sac contenant les trésors et volontés de notre amie atteinte. Abandonnée dans le sens le plus zen du mot, le sommeil m'a vaincue. J'ai dormi un peu et la sueur, l'adrénaline de l'hypoglycémie m'ont réveillée. J'ai pris quatre comprimés de glucose du tube que je garde dans mon sac. Tout s'est rétabli et j'ai commandé du pain, des œufs durs, du fromage et un Coke Diet.

Cette maladie est assez folle. Tu combats le coma avec du sucre parce que ton sucre s'en va. Mais autrement, si tu mangeais du sucre, tu tomberais dans le coma. Quand tu apprends à connaître les symptômes, tu peux arrêter la chute. Pour l'éviter, tu ne dois prendre ni sucre rapide ni alcool, et tu dois manger six fois par jour des sucres lents et des protéines. Pain fromage. Pain œuf. Pâte fromage. Tout ce qui épaissit la ligne. Tu dois te résigner parce qu'il n'y a aucun médicament pour te soigner. À cela aussi nous nous habituons.

C'est une chance et une malchance, dirait le poète québécois. Avant donc d'ouvrir le sac à secrets, j'ai dû attendre qu'on m'apporte la nourriture pour avoir l'esprit clair et le corps non suffocant. J'ai aussi invoqué Ma Gu, que je ne connais pas plus qu'avant, mais j'ajoute son nom à celui de ma mère, ma mère quand j'ai besoin de protection.

L'enveloppe jaune du testament, la verte des polices d'assurance, la boîte métallique bleue, tout ce qu'elle avait nommé dans sa lettre était là plus trois paquets de lettres attachées avec des rubans bleu, blanc, rose.

Cette vision m'a rappelé qu'elle avait suivi des cours de décoration intérieure. Tu verrais bien que je ne suis pas à l'aise avec ses affaires, je ne l'ai jamais été avec elle, non plus. Pour vivre cette situation étrange, il m'avait vraiment fallu l'hôtel.

Sur une grande serviette blanche étalée sur le lit, j'ai vidé la boîte métallique bleue. J'ai séparé les bijoux par genres et les paquets voleurs par devises et par pays. En comptant les billets, j'ai réussi à me séparer d'elle et de ses intentions. Cinquante billets de mille dollars étatsuniens. Tout autant en euros et sans aucun justificatif.

Que dire des bijoux? Huit colliers de perles, en ras le cou, en sautoirs matinée ou opéra. Chacun daté, apprécié et nommé. J'ai croqué l'un et l'autre pour en vérifier l'authenticité. Ils étaient vrais et l'attache de l'un semblait être une émeraude. À vérifier. Je l'ai mis de côté.

Des boucles d'oreilles, des pendants de toutes sortes, des bracelets en or, en argent, des épingles, quelques bagues. Le testament devrait indiquer à qui allaient toutes ces breloques de luxe que je ne la vis jamais porter. Les parures devaient accompagner son bureau et ses sorties d'affaires. Jamais je ne les avais vues auparavant. Je les ai remis dans les ouates, le velours et le coffret. Mais j'ai gardé l'argent et la peut-être émeraude. Ce fut spontané, si elle revenait, je les lui rendrais.

Adèle en voleuse

Quarante et un

Je me payais. Sa mort devenait plausible. Elle ne m'aurait pas envoyée chercher tout ça et ce qui l'accusait si elle avait eu toute sa santé.

Toute ma vie, j'ai eu des difficultés avec l'identification des sentiments qui animaient les gens. J'avais tendance à les croire sur parole. Je n'imaginais pas que certains mots avaient pour but de me tromper. Je ne me suis jamais vue comme la cible de mauvais propos et je n'ai jamais embarqué dans les histoires de harcèlement. Je ne les voyais pas. Tout simplement. Sinon trop tard pour être blessée. Des années après, je comprenais que, dans telle circonstance, j'avais été flouée.

Certains me trouvaient arrogante. J'avais gardé dans mon dos un des anges de mon enfance probablement. Mais maintenant, je n'étais pas dans la tranquillité de l'innocence et, à ne pas avoir l'habitude de la méfiance, je me demandais encore quel rôle je jouais dans cette chambre d'hôtel.

Carmen m'avait menti en me parlant de sa ruine financière. Quand j'ai soupesé le paquet d'enveloppes enrubanné de bleu que je n'avais pas l'intention de lire, j'ai été attirée par l'écriture et je l'ai reconnue. Elle était de Zut. J'ai repoussé le paquet estampillé danger.

J'ai remballé en vitesse toute cette vie maladroite étalée devant moi, tout en épargnant l'enveloppe jaune identifiée comme Testaments et Codicille. Je voulais trouver le nom du notaire. J'imaginais un notaire.

L'enveloppe contenait deux autres enveloppes, l'une à ton nom et l'autre au nom de Zut. Je l'ai repoussée comme du feu.

Carmen m'avait piégée, mais je me suis refusée à en envisager les détails. Et toi, tu n'y es pour rien, sinon par ton absence. Sa malice éclatait en plein jour au cœur de la ville. Par quel bon instinct me suis-je protégée d'elle, l'été dernier, quand elle voulait s'installer chez nous ?

Pour jouir à fond de cet hôtel, j'ai sauté dans la piscine et j'ai nagé. Je flottais sur le dos et les derniers légers flocons de neige me piquaient le bout du nez. Je me suis mise à me donner une mission salvatrice. Si les testaments n'avaient pas été signés avant son départ, auraient-ils une valeur légale ? J'avais vu un acte notarié non signé dans une histoire d'héritage de la famille. Avant de prendre une douche, j'ai communiqué avec le bureau du notaire et pris un rendez-vous pour dix-huit heures. Je voulais me débarrasser d'une part du fardeau, celle où toi, Brigitte, tu serais protégée. Le reste devenait verticalement nul.

À part toi, personne ne saura ce qui s'est passé ce jour-là. Le notaire gardera le silence, qu'importe ce que Carmen a imaginé. Dans la rue, j'ai distribué dans des poubelles séparées la petite enveloppe rouge déchirée en confettis, et j'ai pris plaisir à laisser aller la clé dans la grille de l'égout.

Attirée par un bar, lieu où je n'allais plus jamais, je suis entrée. C'était parfait, pas de musique, pas de télé, pas de radio. Sans diversion, j'allais essayer de m'entendre avec moi-même et de me dessiner une règle de conduite, le secret.

En buvant le Tonic Water, j'ai eu le goût immense d'une cigarette. Et d'un long fume-cigarette. J'ai fait le geste et j'ai aspiré profondément et expiré aussi longtemps. J'ai compris que j'allais chez le notaire pour une seule raison, lui remettre l'enveloppe où il y avait aussi ton nom.

Le bien ressenti ne ressemblait à rien de connu. J'étais dans un état libéré de la défaite, de la maladie et de la contrainte. Un bistouri m'avait ouvert le regard. Je restais une ignorante légale dans le domaine du papier, mais par ailleurs, je savais une ou deux choses utiles pour ma survie.

Adèle voyait

Quarante-deux

Depuis une semaine, après le vain passage du facteur, je passe mes journées dans les cinémas. J'y rencontre des hommes et des femmes absents de ma vie depuis au moins la mort de Love me tender.

J'avais appris la disparition d'Elvis dans une tente, sur une plage de la Côte, lors de mon plus long voyage en vélo. Quel décalage! J'essaie de me parler sereinement de l'affaire, mais je ne comprends rien à ce que je me dis. De tous les côtés me viennent des attaques de mon bric-à-brac romantique. J'attends le prévisible et toutes ses conséquences sur la maisonnée. Il y a longtemps que je ne m'étais préoccupée de mon avenir. Je sais que l'humour est perfectible et que je ne peux rêver juste tant que tout l'entourage n'aura pas été avisé des décisions de Carmen. Si elle ne mourait pas, ma vie serait quand même toute chambardée.

J'ai pris une décision devant les manques de ta fille. Je lui ai donné le collier à l'émeraude grosse comme huit gros pois verts.

Va chez Birks, lui ai-je recommandé, et pas ailleurs. Fais-le évaluer en te disant que tu vas le vendre à eux. Pas à d'autres. Tu te feras moins baiser. Il est à toi. Je t'offre aujourd'hui ton héritage. Tu n'as plus d'emploi et plus de blonde et tu dois arrêter de traîner chez tout le monde. Tu as de quoi recommencer ta vie avec ce collier. Ne le montre ni à ton avocate ni à Zut ni à personne d'autre et va en paix. Et réveille-toi. Il y a une vie après la ménopause.

Qui pourrait m'en vouloir de ce geste ? Toi, non. Je fais la généreuse marraine avec ce que je trouve, et ta fille est bien chanceuse. Moi aussi, après tout. Il est ainsi possible de lui tenir le nez hors de l'eau. Du travail de recherchiste dans une étude d'avocats, avec son expérience, elle n'aura pas de difficulté à se faire engager.

Hier, j'ai rencontré Claire. Au lieu d'assister à la séance, nous avons échangé nos billets à la caisse et nous sommes sorties prendre un café. Elle vient au cinéma pour se sauver de ses enfants, qui veulent la placer dans une maison de retraite. Ils lui reprochent de trop dépenser au restaurant, où elle dîne tous les midis, et de boire un peu trop. Elle refuse de quitter son appartement du centre-ville et son chat. Elle déteste manger seule et, de tout temps, elle a aimé les rencontres, les discussions et les tables de son choix. Notre vieille amie a tenté de me persuader d'endosser sa cause. Elle était toujours dans les manifs avec nous. Il faudra trouver le bon ton pour la plaidoirie. Cette femme, je l'ai toujours aimée. Elle sait rire et elle est toujours aussi belle.

Lorsqu'elle a quitté son mari, elle a eu la maison en partage. Comme il en héritera à sa mort, lui ou les enfants, il lui paie une pension raisonnable.

Maintenant, j'ai un notaire à moi. Et un coffre à la banque et une clé et un numéro. À moi. Je vais tenter de parfaire mon éducation économique. Tout calculé, s'il me reste dix ans à vivre, j'ai de quoi ne pas être obligée de déménager, faire peinturer la maison, aménager une chambre confortable dans ce qui fut la bibliothèque pour recevoir de la compagnie, restaurer trois tableaux importants, acheter deux bons fauteuils, améliorer l'éclairage, recevoir à dîner les dimanches, apprendre à jouer au bridge, si je ne suis pas soumise à trop de dévaluations.

Quant aux bijoux, ils seront la surprise de chacun de mes filleuls. Ils ne s'attendent certainement pas à ce que leur marraine collectionne les perles.

Adèle

Quarante-trois

Si tu n'es pas Calypso, la déesse du silence, tu aurais intérêt à communiquer avec un notaire et, pour ce, je te laisse des coordonnées dont tu peux avoir besoin. M. Philippe Brind'acier, 3, rue de la Commune. Tu trouveras le reste des infos nécessaires sur Internet.

La famille de Carmen, son mari et sa sœur, a lancé un avis de recherche. Sa disparition daterait d'il y a six mois. Elle a déclaré ne pas s'être inquiétée avant sous prétexte de ses nombreux voyages à l'étranger.

Zut est venu me rejoindre au parc et il a mis fin à ma concentration de façon cavalière. Il était monté sur ses grands chevaux. Il voulait savoir tout de suite où se cachait notre amie.

Ma prétention à l'ignorance ne l'a pas convaincu. J'ai tenté de lui rappeler toute l'irritation que la présence de Carmen à la maison lui causait, il l'a niée. Zut a invoqué ma jalousie, qui aurait éloigné Carmen de chez nous. Est-ce elle qui le prétendait?

Une enquête très poussée sur le sujet ne m'intéresse pas. Le seul nom de Zut, avec le tien, sur le testament me suffit. Elle n'avait pas cacheté l'enveloppe. Cette histoire est déjà tout éventée et sa réalité est évidente.

Toutes les patiences me tiendront compagnie dans la suite des événements. Zut ne sait pas ce que je sais, et la situation conflictuelle dans laquelle je me trouve, il ne peut la percevoir non plus.

Mon propre gourou, c'est moi. Pendant qu'il s'énerve à gauche, à droite, je me donne de bons conseils. Ce banquet bancal aura sa fin. Et elle se rapproche. Surtout, surtout garder mon appétit pour l'avenir.

Pardonne-moi, sœur humaine, c'est la première fois que je vis une situation où je ne suis pas celle qui tremble. Pourtant, une partie de la manigance de Carmen m'échappe.

En prenant le fric dans le coffre, je pardonne tout. Non, je ne pardonne pas, j'oublie le mal. Ou, nuance, je pardonne et je n'oublie pas. Mais je n'aime pas l'odeur de ces mots-là.

Disons, simplement, je prends l'argent. De cette manière, quand tout sera terminé, je n'aurai pas comme d'habitude à me retourner sur un dix cents, pour prendre le large.

Adèle

Quarante-quatre

Le facteur m'a laissé le courrier en mains propres. J'attendais dehors en jasant avec le malvoyant. Nous avons marché ensemble jusqu'à la pharmacie, où il voulait repérer un produit sans avoir à le demander à un employé. Il n'aime pas beaucoup avoir à s'expliquer. La dernière fois, il cherchait une minerve et il a eu l'impression de tomber dans un cirque. Le mot n'est plus d'usage. Finie la métaphore, il faut dire un collier cervical.

Il est coquet, tout en douceur et redoute l'usage de mots le classant au rang des dépassés, des vieux et des ignorants.

De plus en plus, les pharmaciens sont cachés au fond des grandes surfaces où ils remplissent les ordonnances. Devant, depuis un an, toute la panoplie des médicaments en vente libre porte des noms à l'effigie du propriétaire.

Tranquillement, les éléments connus auxquels nous faisions confiance se cachent sous des labels produits par une industrie sous-traitante. Selon la chaîne, les noms séduisants inventés pour nous tenter s'appellent Yours, Votre ami ou Naturellement.

Avant, nous avions le choix entre différentes marques. Maintenant, nous n'avons plus accès à notre calamine préférée. La Yours occupe toute la tablette. Le voisin l'a essayée, mais elle est trop diluée par rapport à ce qu'il connaissait et nous avons quitté les lieux en discutant de la liberté de choix.

La conclusion était simple. Si nous n'avons pas le choix, nous ne sommes pas libres. Et nous ne sommes pas nés pour rapporter des revenus à des investisseurs jouant notre bien-être à la bourse tout en faisant régresser notre société. La liberté a bien des manières. Pour trouver des diachylons qui n'arrachent pas la peau, nous avons pris l'autobus jusque chez un grossiste où nous avons acheté des pansements fabriqués en Allemagne et valant le prix d'une bonne bouteille de vin. Par bonheur, nous avons pu y voir aussi de la vraie calamine et une bonne pommade d'iode.

Je me suis offert la même chose grâce à Carmen. Sa lettre cachetée attend dans mon sac. La liberté n'appartiendrait-elle qu'aux riches? Certaines douceurs de la vie, oui, a soutenu Gilles. J'ai appris son nom. Il était temps. Il sait le mien. Aussi.

Son opération aux yeux n'a rien donné. Il continuera de compter sur moi pour les courses. Devant un étalage, je lui ai fait toucher de belles grandes peaux de mouton. Pour ça, je vais attendre, m'a-t-il glissé à l'oreille.

L'envie de lire la lettre m'a prise et j'ai proposé un verre dans un café, où je me suis poussée au petit coin. Le timbre était bien andalou, mais le contenu venait de la clinique du bon docteur. Il s'agissait d'une facture de vingt mille dollars. J'ai avalé la surprise, étonnée par ma capacité à ne rien laisser voir de cette réclamation, et j'ai rejoint Gilles. Il m'a parlé de sa vie heureuse comme voyageur de commerce spécialisé dans les produits médicaux destinés aux dentistes avec qui il a bien gagné son luxe. Homosexuel sans famille, il a adoré voyager. Juste au moment où une certaine nervosité commençait à me prendre, il m'a serré la main.

Vous, vous ne m'avez pas donné de nouvelles de votre visite chez l'ORL.

Après l'examen, le docteur m'a dit que j'avais l'ouïe jeune. En touchant un point des cervicales, il a repéré une douleur. Vous n'êtes pas sourde mais vous avez de l'arthrose et vos muscles sont trop tendus à cause de la douleur. Il m'a prescrit des relaxants musculaires et maintenant, je peux faire le cou de la madone, en penchant mon visage sur le côté. Ainsi, je fais moins raide et moins frontale. Mais, à vrai dire, je n'en aime pas beaucoup les effets secondaires. Ce médicament me donne des rêves ressemblant à ceux de la patch de nicotine.

J'ai lu dans un article à la clinique, où traînent parfois des revues médicales, que nous vivrons bien longtemps, mais avec de l'arthrose. En cinq mille ans, la science n'en a pas su le remède. Nous aurons le cou droit, la hanche claudicante, les jointures agacées et la silhouette sans cesse menacée et, avec le poète québécois, nous pourrons continuer à confondre le mot deuil avec celui de Dieu.

Adèle et la voyance

Quarante-cinq

Avant d'aller réfléchir à la situation carménique, je te raconte la jouissance d'hier. Je m'attarde encore chez les Chinois du livre de l'avion. Le poète craignait les soins d'un chirurgien. En ouvrant son foie pour y chercher une pierre, il pourrait vite oublier la pierre et mettre le foie dans une poêle à frire. Je m'en vais maintenant chercher une feuille, écrire des mots, faire des liens avant de tirer des flèches. Dans la page nécrologique, ce matin, le mari de Carmen annonçait son décès.

Selon la section des faits divers, elle a été retrouvée dans une chambre d'hôtel à Madrid. L'ambassade a communiqué avec son mari, qui ignorait sa présence en sol madrilène. Cette mort met fin aux recherches pour la retrouver, mais une enquête suivra les résultats de l'autopsie si elle est demandée. Le journal est resté ouvert à ces pages. Quand le Zut se lèvera, il trouvera.

J'ai pris un long bain, une longue douche écossaise et j'ai lavé tous les recoins de mon corps. Après la crème dépilatoire, j'ai recommencé la douche. Je ne lavais pas mes mains de cette mort. Je me lavais de tout.

Assise au bout de la table, dans le séjour, j'étais en plein manucure quand Zut a paru. Pour réussir la pose du vernis à ongles, il vaut mieux ne pas trembler. Je ne le faisais pas.

J'avais mis mon cerveau à la position pause et je posais à la femme calme. Tant que mon cœur ne faisait pas de tapage, j'étais sauvée.

Sauvée de quoi? Du long questionnaire qui n'allait pas manquer d'apparaître. Mais je savais qu'il n'allait pas atteindre le fond de ma boîte noire fermée à triple tour. Après la lecture du journal, Zut s'est mis à frissonner et il a monté le thermostat. J'ai soufflé sur mes ongles et je suis allée m'habiller.

Je voulais m'absenter de toutes les interprétations qui allaient surgir, je suis sortie. Le printemps faisait des promesses. Je suis allée chez les sportifs m'acheter des souliers de marche trop chers pour mes anciens moyens.

Dorénavant, je serai aussi pauvre qu'avant, mais je m'offrirai le confort. Pour marcher. Pour m'asseoir. Pour me coucher. Pour travailler. À hauteur humaine. Après, je n'aurai plus rien comme d'habitude, mais je serai bien pour apprendre la solitude.

Le bon docteur ne me fait pas peur. Un charlatan n'aura pas de pouvoir sur moi.

J'ai décidé de passer chez Claire et d'en profiter pour jeter le cellulaire de Carmen dans différentes poubelles, sur mon chemin. Il est défait en morceaux. Avant, je doutais. Maintenant, je me méfie.

Sous quelle étoile tanguait ma destinée de cette dernière année? Mais elle va passer dans d'autres cieux comme font toutes les constellations. Peut-être dans un trou noir.

Claire n'était pas chez elle. J'ai laissé un message dans sa boîte à lettres et sur son répondeur. Je suis allée au cinéma où je me suis endormie.

Puis, en ville, j'ai traîné dans les grandes boutiques à regarder les airs de la mode de cette année, à tâter le soyeux des tissus, et j'ai fini la journée chez un coiffeur à qui j'ai demandé la coupe la moins matante qui soit après un grand massage du cuir chevelu. Quand je suis rentrée, la maison était vide. Il n'y avait aucun message sur le répondeur.

Adèle

Quarante-six

Au réveil, le silence total, sans humeurs brûlantes, tout en gel, m'a donné le sentiment d'errer dans un igloo, je n'appartenais plus qu'au froid.

Parle-moi d'une méfiante. J'ai oublié de surveiller le facteur. Zut est remonté avec le courrier en m'ordonnant d'ouvrir immédiatement la lettre d'Espagne. Carmen était encore parmi nous.

Je la lui ai prise des mains un peu trop vite, un peu trop sèchement, le nez un peu trop haut. Je m'en suis servie comme d'un éventail pour distancier son regard et son attente.

Avant d'en prendre connaissance, je lui ai demandé un café. Il est sur ses gardes, lui aussi, et il est allé en préparer un. Dis-moi, Brigitte, comment être et ne pas être là où nous sommes et dans la situation voulue par quelqu'un d'autre que soi ? Est-ce que j'ai collaboré à la torture mentale que me fait subir Carmen ?

Sur le balcon avant, comme sur la place publique, j'ai ouvert l'enveloppe contenant un feuillet sur lequel il était écrit le bon docteur ne m'a pas sauvée, oublie-moi.

Quand Zut m'a rejointe, un peu soulagée par le contenu pas absolument compromettant, je lui ai remis la lettre. Il l'a lue. Tout ce temps-là, tu savais où elle était.

J'ai dit non. Elle m'avait parlé d'un certain spécialiste, sans me dire qu'elle était malade. Elle avait mentionné ce docteur en passant, sans s'attarder.

Il m'a rendu la lettre sans dire un mot de plus, s'est habillé et est sorti. Maintenant, je suis suspendue dans une autre attente.

À cause de mon ignorance, je pensais que tu devais être là pour défendre ton propre héritage. Mais le notaire t'attendra et gardera ta part. Zut se sait-il bénéficiaire ? La disparition de Carmen l'intriguait. Il n'avait pourtant pas l'air malheureux. Au contraire, il sifflait comme un homme heureux. J'utiliserais le mot clandestin. Un clandestin joyeux.

Pour me tourmenter sans mollesse, j'ai décidé de laver les draps et les serviettes, et d'ouvrir portes et fenêtres pour aérer la maison, éliminer les odeurs de renfermé de l'hiver. Un petit coup d'oxygène.

Mais je manquais de gommes à la nicotine. J'ai laissé tout en train pour aller à la pharmacie et en profiter pour rapporter des produits de lessive. D'habitude, ces achats reviennent à Zut mais il oublie tout depuis quelque temps. Je peux quand même encore utiliser le caddy pour transporter le lourd. Et puis, il me fallait des larmes artificielles, des gouttes anti-allergies, de la pommade pour incendie sauvage, de quoi soigner tous les cadeaux de la vie.

Dans le parc, appuyés sur le garde-folle de la passerelle, Zut et Émilie discutaient. Je ne te l'avais pas dit, elle s'est déniché un beau studio lumineux sur la rue Lajoie, pas loin d'ici. Mais je ne suis pas allée vers eux. Je n'avais nullement besoin de me distraire de la tâche entreprise.

Chez le fleuriste, j'ai pris un petit rosier tout en fleurs et je suis rentrée.

Le fils de la juge d'en haut rentrait de l'école avec son gros sac. Il l'a déposé et a monté les miens. La maison sentait l'aéré.

En rangeant les courses, j'ai eu un coup de fatigue et ma vue s'est éteinte. Depuis le matin, je n'avais rien mangé. Avec quatre comprimés de glucose, je me suis requinquée. Ô sainte énergie, ne me quitte pas!

Peut-être es-tu en Grèce en train de regarder les amandiers en fleurs. Je suis trop proche de moi pour avoir du recul. Tu m'aiderais.

Adèle

Quarante-sept

Chez la pharmacienne, tout à l'heure, je cherchais mes mots. Elle a essayé de m'aider. Je me suis rebiffée. Quand je cherche mes mots, ne parlez pas à ma place.

Cette phrase appartenait au poète québécois. En m'en souvenant, ici, en jetant les draps dans la machine, je me suis mise à pleurer. Il pleuvait sur mon visage. En anglais, ils disent *it was raining cats and dogs*. Je pleurais et le tonnerre a grondé.

Si tu te voyais, tu ne resterais pas avec toi-même une minute de plus.

Zut venait de rompre le long silence des dernières semaines. J'ai continué en m'essuyant le nez avec tout ce qui me tombait sous la main. Carmen était morte et moi, j'étais veuve. Mais j'usurpais un rôle. Il était le vrai faux veuf.

Tout se jouait dans le non-dit. La cachette, le mystère, le malaise. Disons le mot. Je ne voulais rien révéler. Et lui non plus. J'ai cessé la pluie.

Avec de grandes phrases valises. Tout s'est allongé, l'enfance, l'adolescence, la maturité, la vieillesse. Nous vivrons jusqu'à cent ans. Nous serons six générations en même temps, sur le même territoire. Quelle merveille. J'entendais hum hum. Le genre neutre très convaincant. Zut s'est rhabillé et il est sorti.

Dans une boîte de photos des dernières années, j'ai commencé à chercher des traces de Carmen. Puis j'ai mis un point à l'affaire. En la rangeant, j'ai trouvé beaucoup mieux, toi et moi à dix ans.

Nous sommes toutes deux de chaque côté d'un tronc d'arbre, très droites et très sérieuses, en noir et blanc. Tes cheveux roux frisés. Les miens foncés et plats. Avec nos petits seins pointant à travers la robe du couvent.

Si tu sais encore compter, chère Brigitte, tu vois bien que nous avons traversé les temps depuis quatre-vingts ans. Quatre-vingts ans cette année. Toi, mère et moi, vieille fille. Le mot vieille n'allait qu'aux célibataires à l'époque.

Du plus loin que je me souvienne, tu disparaissais des mois tous les dix ans. Pour aller retrouver un amoureux. Pour aller faire des travaux de recherche dans les forêts amazoniennes. Pour aller bâtir une école à Haïti. Et tu as toujours traîné tes enfants avec toi jusqu'à ce qu'ils aient vingt ans. Comment faisais-tu ?

Tout était tout le temps simple, tu disais. Non, tu ne disais pas ça. Mais tu savais dompter les complications.

Je me souviens du missionnaire français que tu avais obligé à quitter Madagascar. Il abusait des jeunes enfants et tu étais devenue si féroce avec lui qu'il avait pris la première chaloupe pour fuir.

Ton fils avait dix ans, il avait tout vu et il me le raconte chaque fois que nous nous voyons tellement il avait été marqué par le signe de ta force.

Mais ça fait longtemps. Et où et comment as-tu connu Carmen ? As-tu été sa protectrice ? Où ? Ici ? Dans quel pays ?

Adèle la fidèle

Quarante-huit

Il s'est passé bien des choses depuis mon dernier courriel et tu peux clamer à l'aise que les absents ont toujours raison. Le toujours est boiteux parce que les proverbes en abusent. Toi, l'absente à nous, tu étais dans la meilleure part. Tu es douée pour ça.

Quand tu reviendras, tu sauras à l'avance notre passé.

D'abord, le testament de Carmen a été contesté par son mari et sa sœur, mais le juge n'a pas accédé à leur demande et tu es l'héritière de la maison avec qui tu sais.

Zut a commencé par désirer me voir aller y habiter. Selon lui, je faisais une montagne de malaises, de jalousies et de précautions.

Mon refus avait du sens. Il n'était pas question que j'aille là où je passerais mon temps à me poser des questions névrotiques à propos d'Elle et de Lui. Mais avant tout, c'était ta maison à toi aussi et il devait t'attendre pour prendre des décisions. Tu voudrais probablement la vendre.

Il a bien essayé en me prédisant tous les malheurs de la pauvreté. Tu ne pourras même plus t'offrir de la soupe. Comme s'il m'avait nourrie, logée.

De toutes les manières, je ne voulais pour rien au monde imaginer m'installer avec lui chez Carmen. Tu as vu sa salle de bains ? Elle occupait cette maison depuis la mort de ses parents et elle n'a jamais rien rénové. Les mêmes rideaux, les mêmes tapis, les mêmes draperies.

J'y étais allée une seule fois et j'y avais éternué mon âme en respirant des armées d'acariens agressifs. Déménager, faire des boîtes, me râper la chair sur les rebords des cartons, diriger une équipe que Zut, les bras croisés, ne me laisserait pas diriger, me sentir méprisée par les aides quand j'hésiterais. Les chicanes pour choisir ce qu'il faut garder et ce qui est à jeter sont de trop à mon âge. Vider l'autre maison pour y entrer. Même toi, la brave, tu ne voudrais pas.

Bien sûr, j'ai déjà été la championne des déménagements. Aujourd'hui, à cette seule idée, les bras me tombent au sol. J'ai beaucoup moins de Providence en moi qu'avant.

Autant te l'avouer, Zut m'a menée de panique en panique. Elles m'ont mangé le talent, la souplesse et la confiance. J'en ai perdu la mémoire et gagné la multiplication des gestes manqués.

L'enfer à domicile commençait vraiment à surchauffer et pouvait me faire glisser dans ce qu'il y a de plus mauvais dans la vieillesse. J'ai pris peur et me suis ressaisie en allant passer deux semaines à l'hôtel avec piscine, aux frais ironiques de Carmen. J'avais laissé une note sur la table lui demandant de quitter la maison et je l'avais signée Casse-noisette.

Il me restait de l'humour. J'étais sauvée.

À ma rentrée, son départ était flagrant. Tu t'arrangeras avec lui.

Le grand soulagement ne viendra qu'avec ton retour. Tu auras alors lu les documents de l'héritage et tu verras s'il est quelque part question du coffre à la banque.

L'été finit et tu es ailleurs depuis presque toute une année. J'espère que tu as été immensément ou

150

normalement heureuse là où tu étais. Ton absence m'a permis de rêver à des pays où j'aurais aimé être.

Adèle se remet

Quarante-neuf

Pour résister aux critiques de Zut, je me suis mise à aimer fort ma propre vie où je pouvais marcher avec de bons souliers. S'il me décevait, je n'étais pas obligée de déchoir comme si je n'avais rien appris à vivre et seule et avec lui.

Avec les bons médicaments contrôlant les allergies, les raisons pour être dehors se multiplient. La persistance de Carmen à ne pas vouloir mourir, c'est si long après, avait sa raison d'être. Bientôt son souvenir aussi s'éclipsera et le plus vite sera le mieux.

En ramassant un minou miaulant de détresse sur le trottoir et mené chez un vétérinaire à cinq minutes d'ici, j'ai encore pensé à elle. Passons. C'était un chat perdu, sans puces et sans collier, d'environ six mois. Le docteur lui a donné des piqûres préventives. Ce tigré me vengeait de la bénévole aux chats. J'en prendrai bien soin. Après observation, je l'ai baptisée Tite fille.

La solitude n'est pas une fatalité gériatrique. Si nous avons aimé les oiseaux, les fleurs et les hommes et le bon pain, il n'y a pas de raison de s'en priver.

Au cas où la bête se serait sauvée de chez ses parents, je l'ai photographiée pour préparer une affiche Chatte trouvée à coller sur les poteaux. J'avais quand même le sentiment que la minette avait été abandonnée. Si je la gardais, le vétérinaire m'avait dit que l'on pouvait désactiver mes allergies avec des vaccins.

Devant ma porte, j'ai vu la dame propagandiste du bon docteur allemand. Elle me regardait venir et je ne me pressais pas vers elle. Il n'était pas question de la laisser entrer, et nous avons discuté sur le perron. Voilà, *Bella*, elle voulait quarante mille dollars pour payer les soins donnés à Carmen. Le prix de la facture avait doublé. Notre amie avait donné mon nom et mon adresse à la clinique, et j'étais censée être la secrétaire chargée d'acquitter les frais médicaux du dernier mois de sa vie. Comme je n'avais pas donné suite à l'envoi de la facture, madame venait aux nouvelles pour réclamer le dû.

Elle me connaissait de vue puisque j'avais accompagné Carmen dans ses réunions de groupe. Presque familière, elle exigeait avec une arrogance qui nous aurait fait sourire si tu avais été là.

En lui interdisant de me harceler, je l'ai menacée d'appeler la police. Elle a quitté les lieux en continuant de marmonner. Un dernier nœud se défaisait.

Terrible, la Carmen, non? Manipulatrice maximale, non? Capable de pourrir une relation avec le professionnalisme d'une consultante pouvant vendre n'importe quoi à n'importe qui, oui?

C'était ton amie à toi. C'est toi qui me l'as présentée. Il faudra bien que tu m'expliques un jour.

En attendant, je connais la valeur de mon instinct qui a refusé de l'accueillir. Elle voulait s'installer ici au moment où, dans ma maison dévastée, j'étais immensément fragile. Pour reprendre son ascendant sur Zut. Ils étaient amants, elle a tout fait pour me le faire savoir de son vivant et elle s'est rattrapée pour qu'au moins je l'apprenne avec sa mort.

Tenace, la fille, et elle y a mis le prix, et ce prix, elle a même pensé qu'elle pourrait m'en dépouiller.

Tu comprendras que, dans les circonstances, je ne respecterai aucune de ses vicieuses ambitions et je ne me conformerai qu'à mes propres obligations. À la toute fin, après avoir baisé tout le monde, elle est morte à crédit.

C'était toute une organisatrice.

Adèle et une chatte

Cinquante

Personne ne m'a dit comment et où étaient enterrés le corps ou les cendres de Carmen. Je n'ai pas cherché à le savoir. Mais elle m'a permis de connaître *All about Eve* et probablement autant sur Adam. Disons que cette dernière année me tiendra de lieu initiatique pour le passage vers le dernier bout de route. Chère Brigitte, quand j'aimais, les défauts des autres ne m'apparaissaient pas. Séduite et abandonnée quelques fois, je m'en suis sortie plutôt vivante et non dégriffée.

Les effets secondaires des reniements ou des abus de confiance ressemblent aux effets secondaires du feuillet accompagnant le médicament contre les allergies. Difficultés à respirer, battements cardiaques rapides ou palpitations. Je ne suis jamais arrivée aux convulsions, dysfonctionnement du foie, apparition d'une jaunisse.

J'ai échappé au pire. Je prendrai des antihistaminiques avant de mourir pour échapper aux envahisseurs du corps exposé à des substances agaçantes.

Ma peine est reportée et le chagrin aussi. Mais parfois, la nuit, j'entends des bruits ressemblant à des retours de fantômes. Tite fille lèche ma main et je me rendors. On dit que chez les félins se trouvent des guérisseurs.

Le temps et les nécessités ont changé et m'obligent à revisiter ma vie. Non pas celle déjà passée, mais la présente, avec une nouvelle panoplie en papier pour amuser la chatte, un tamtam, des sifflets serpentins et une bombe à confettis.

Dans le quartier chinois, il se vend des liasses de faux billets à mettre dans le cercueil des défunts au cas où ils auraient besoin de cash là où ils arriveront. Les coutumes funéraires des autres cultures ont commencé à retenir mon attention.

Mon rendez-vous chez le notaire oblige à certaines préparations. J'irai ces jours-ci parce que j'ai des sous pour le payer. Des amis me disent qu'après avoir fait notre testament, nous nous sentons libérés.

Pourquoi? Nous avons assumé l'avenir, la fin une fois pour toutes. Ainsi, nous pouvons respirer mieux le présent et en faire des projets, celui de pouvoir regarder le ciel et les nuages, les couleurs et les mouvements. Je veux vivre des espaces de la contemplation.

Mais avant, il faut nettoyer la maison et trier ce qui mérite d'être gardé. Maintenant, sans la cigarette, j'adore faire le ménage.

Quand tu reviendras, tu viendras m'aider à tenir comptoir dans la rue pour une grande vente de trottoir. Nous choisirons une belle journée de l'été indien et nous servirons du vin aux voisins avant l'enfermement des grands froids. L'hiver, nous ne nous voyons plus.

J'ai oublié de te dire un secret. Claire a rencontré un homme au cinéma. Il va venir vivre chez elle. Et moi, je n'ose pas le dire tout de suite. Tu verras. Le cœur et le cerveau sont des organes qui se conservent mieux que les os.

Adèle

P.-S. Dans la rue, la sœur de Carmen m'a appris que Zut vivait dans votre maison avec ta fille Émilie. Pourvu qu'elle ne parle pas de l'émeraude. Tu m'aideras à nier si elle le fait.

Remerciements

Je veux remercier tous les vies-eux et les vies-elles côtoyés depuis toujours et qui ont su parler des maux, des sales mots de leur état. Maintenant, je sais ce qui gratte dans mes os et je suis plus savante sans être épargnée par les surprises.

J'adresse autant de remerciements à mon souteneur électronique, il s'appelle Didier Féminier.

L'intelligente lecture faite par France Théoret vaut le plaisir d'être souligné.

Le très linguiste et écrivain Robert G. Girardin m'a donné de son temps et de sa parole.

Jean Barbe, le directeur littéraire de Leméac, m'a rassurée et a corsé ma confiance, je lui en vaudrai toute ma reconnaissance et ma tendresse.

Que tous leurs âges leur soient bons.

Et à André Valois

OUVRAGE RÉALISÉ PAR
LUC JACQUES, TYPOGRAPHE
ACHEVÉ D'IMPRIMER
EN OCTOBRE 2011
SUR LES PRESSES
DE MARQUIS IMPRIMEUR
POUR LE COMPTE DE
LEMÉAC ÉDITEUR, MONTRÉAL

DÉPÔT LÉGAL
1re ÉDITION : 3e TRIMESTRE 2011
(ÉD. 01 / IMP. 02)